JOACHIM DU BE:

BLACKWELL'S   FRENCH   TEXTS

General Editor: R. C. D. Perman

JOACHIM DU BELLAY
POEMS

Selected and Edited by

H. W. LAWTON
Emeritus Professor of French in the Universiy of Sheffield

BASIL BLACKWELL · OXFORD

1972

First printed   1961
Reprinted   1972

ISBN 0 631 00600 1

PRINTED IN GREAT BRITAIN FOR
BASIL BLACKWELL & MOTT LTD. BY
THE COMPTON PRINTING LTD. LONDON & AYLESBURY
AND BOUND BY
THE KEMP HALL BINDERY, OXFORD

FOREWORD

Toute sélection est cruauté, it has been said. The selection of poems by Joachim du Bellay in the following pages has not, I trust, inflicted too great a cruelty on the poet or his reputation. It has been my aim to present not merely his best poems, but a choice of poems representing fairly the varied characteristics of his work: his hesitations, his self-contradictions, his versatility, his melancholy, his satire, his wit, his wisdom. This desire and the limitations of space have made it impossible to give the complete text of some of the larger poems chosen. Poems thus cut are marked in the Table of Contents with an asterisk and the omissions are briefly summarized in the notes, either introductory or *ad loc*.

It will be seen that I have dispensed with a glossary. Words which have become obsolete or have changed their meaning are dealt with in the notes. All the others, in their modern spellings, will be found in any reasonably good modern French dictionary, and the reader unfamiliar with sixteenth-century orthographical fantasy has usually only to read a word aloud to recognize its modern form. The bibliography has been kept down to the most essential books and articles; full bibliographies will be found in the works cited.

The text is in all cases (unless otherwise stated in the notes) that of the first edition of the work concerned.

In the matter of text as in that of notes, my indebtedness to my master, Henri Chamard, will be only too plain. This book is indeed as much his work as mine, except that its virtues are his, its shortcomings my own.

H. W. LAWTON

TABLE OF CONTENTS

INTRODUCTION

JOACHIM DU BELLAY, though he boasts of it little, had every right to be proud of his ancestry. According to some accounts, his family first distinguished itself in Carolingian times; it produced an archbishop of Rheims in the eleventh century, a seneschal of Poitou in the twelfth. Hugues, seigneur du Bellay et de Giseux, perished with one of his sons on the field of Agincourt, other sons dying on other battlefields; another son became successively bishop of Fréjus and of Poitiers, still another chamberlain to Charles VII and to René d'Anjou, king of Sicily. This last had seven sons, only two of whom we need mention: Eustache, the eldest, who succeeded his father as chamberlain to René and who, on the death of his wife, became a priest and, it is said, died in an odour of sanctity; and Louis, who became the founder of the Langey branch. Two of the sons of Eustache are of interest to our story: René, who had twelve children, among whom were Eustache, who was to become bishop of Paris in 1550, and Jacques, who became baron de Thouarcé and governor of Anjou; and Jean, who married Renée Chabot and became the father of Joachim. On the whole, however, the elder branch to which Joachim belonged was eclipsed by the younger one, descended from Louis, brother of Joachim's grandfather Eustache; four of Louis's six sons attained fame or high position: Guillaume, seigneur de Langey, soldier, diplomat, governor of Piedmont, and author, with his soldier brother Martin, of notable memoirs; René, bishop of Le Mans from 1535 to 1546; and, closest of all to the fates of Joachim, Jean, prelate, cardinal, diplomat, who became Joachim's protector and patron as, with Guillaume, he had been that of Rabelais.

When Joachim was born, probably in 1522, in the Château de la Turmelière in the parish of Liré, Anjou, he already had a sister, Catherine, and two brothers. The eldest of all, René, was born in 1508; of Jean, the other brother, nothing is known. From birth Joachim seems to have been a weakly, delicate child, and ill health pursued him for most of his short life. Both his parents died before he was more than ten, and he was left in the guardianship of René, who seems not only to have neglected his charge but also to have made heavy inroads into the family

xi

fortunes. What kind of education the young and sensitive Joachim received in the heart of the Angevin countryside can only be guessed; nor do we know what contacts he may have had with his relatives. Soon, however, the question was bound to arise: what was he to do? He could not inherit the dwindling estate; he must look elsewhere and, as he approached his majority, it is difficult to believe that René would not press him to take some practical steps. In 1545 or 1546, Joachim went to study law in the conveniently situated and flourishing university of Poitiers. However much or however little law he actually studied, he certainly seems to have made there his first ventures in poetical composition; it is not unlikely that his 'Epitaphe de Clement Marot' dates from these days, while Scévole de Sainte-Marthe recounts a Latin poetical competition between Joachim, Muret and Fauveau in which the adjudicator, Salmon Macrin, the highly esteemed neo-Latin poet to whom Joachim was later to dedicate more than one poem, awarded the prize to Fauveau. Moreover, in the second preface (1550) to the *Olive*, Joachim says: 'à la persuasion de Jaques Peletier, je choisi le sonnet et l'ode, deux poëmes de ce temps la (c'est depuis quatre ans) encores peu usitez entre les nostres', which would place his encounter with Peletier in 1546 and hence, probably, in Poitiers. It might not have been their first meeting, since Peletier was secretary to René du Bellay, bishop of Le Mans, who in 1543, at the burial of Guillaume de Langey, had conferred the tonsure on Pierre de Ronsard, also related, through his mother, to the du Bellay family. At some unknown time, Joachim was tonsured too in the diocese of Nantes. So both Ronsard and Joachim, though never priested, became eligible for the conferment of ecclesiastical benefices.

Peletier was only a little older than Joachim, but he was already winning his literary spurs: in 1545 he had published his French version of Horace's *Ars Poetica*, and was about now preparing for publication in 1547 his own *Œuvres Poétiques*, which contained translations from Homer, Vergil, Horace and Petrarch, as well as some original odes of the Horatian type; it also contained an ode by Ronsard and a dizain ('A la ville du Mans') by du Bellay—both poets' first appearance in print. His views on what should be done with French poetry were clear and forthright: French poets should write in French and, in order to raise their poetry to the level of that of the Greeks, Romans and Italians, should study and imitate the beauties of those model literatures.

A well known but unreliable account by Claude Binet in his
Discours de la Vie de Pierre de Ronsard (1586) tells us that the two
young poets met by chance in an inn near Poitiers, and from their
conversation soon recognized each other as akin. However,
whenever and wherever they met, the upshot was important:
Joachim went to Paris to study with Ronsard and Baïf under
Dorat, who in 1547 became principal of the Collège de Coqueret
and took with him there Baïf and Ronsard to whom he had been
tutor in the household of Lazare de Baïf. Dorat was a stimulating
and original teacher; he revealed to his pupils the language and
the literature of the Greeks 'through Latin', encouraged them
in the art of verse composition—he was himself no mean poet
in three languages—and inspired them with his own boundless
enthusiasm. Life at Coqueret was very different from life, as
presented by contemporary accounts, at the Collège de Montaigu,
for instance: there were no bloody rods and maggotty food;
it was a mixture of pleasures, shared by the master (expeditions
to the country, picnics, music, discussions) and hard and serious
work. There was plenty of company, Bertrand Bergier and
René d'Urvoy, who lived not far from Liré and whom Joachim
may have known there, came to Coqueret, while in the near-by
Collège de Boncourt were Jodelle, La Péruse, Rémy Belleau.
It was in this atmosphere that the 'Brigade', the embryo of the
Pléiade, came into being and with it one of the most exciting
periods in French literary history. The arts, the countryside,
music, the care for workmanship, the love of learning, the
widening horizons of Greek, Latin, neo-Latin and Italian
poetry: books and life were mingled in a fertile and fertilizing
mixture.

The year of grace 1549 (new style) was an *annus mirabilis* for
Joachim and for the Pléiade as a whole. Peletier published his
Arithmetique, Ronsard his *Epithalame d'Antoine de Bourbon et
Janne de Navarre*, but the great event was the appearance in
April of du Bellay's *Deffence et Illustration de la Langue Françoyse*
together with the *Olive* (50 sonnets), the *Anterotique* and the
thirteen odes of the *Vers Lyriques*. Madame Marguerite, sister
of Henri II, signified her liking for these works and encouraged
Joachim to pursue his poetic ambitions. He followed up his
success with the *Recueil de Poësie*, dedicated to his patroness, in
the November of that year; it included some occasional poems
already published separately. Meanwhile Ronsard published
some occasional verse, including the *Hymne de France*, and away

in Lyons Pontus de Tyard, whose relations with the Pléiade
were to be strengthened, put forth his *Erreurs Amoureuses*.

The message of the *Deffence* is too well known to be treated
here in detail, but its main doctrines—that French poets should
write in French, that they should imitate and not merely translate
the great models which alone could ennoble and immortalize
French poetry, that they should strive to enrich the language
so that it could attain the power and flexibility of the ancient
tongues and of contemporary Italian—were not those of Joachim
alone. Peletier, Ronsard and he saw eye to eye in these matters
and the *Deffence*, though perhaps finished in a hurry as a counter-
blast to the embarrassing *Art Poétique Françoys* of Sebillet and
written with the pen of the most illustriously named of the
group, was no doubt the fruit of many enthusiastic and not
unlearned discussions. Moreover the 'manifesto' was accompanied by illustrations, mainly in the shape of those odes and
sonnets that Peletier had revealed to Joachim. The fifty sonnets
of the *Olive* were by no means the first French sonnets to have
seen the light, but they were the first French collection of any
size, and set the fashion for the 'sonnet-sequence' in France.
The majority were based on Italian models, some little more
than translated (though translation of so tight a form as the
sonnet is no mean achievement), others imitated more freely or
used as spring-boards for more personal treatment. Roughly
a quarter were modelled on specimens found by du Bellay (as
Ronsard and others were to find them) in the *Rime diversi di
molti eccellentissimi auttori* collected by Gabriel Giolito di Ferrari,
two volumes of which had appeared by this time. It was not
originality in the sense of 'the-never-said-before' that was important to the sixteenth-century sonneteer; it was perfection of
diction and form. So we find the 'traditional' Petrarchan
devices—antithesis, enumeration, images from the cosmos
and nature applied to the personal beauties of the lady—as
well as 'courtois' and platonist themes of the unattainable
mistress, her ideal and spiritual beauty, couched in graceful
verse. Whether the inspiration comes from Petrarch or his
imitators, from Ariosto (the *Orlando Furioso* as well as the
sonnets) or from Joachim's own resources, whether the lady
Olive was real or imaginary (and as usual the point has been
argued, though inconclusively), whether the poet observed or
not the principle of alternation of masculine and feminine
rhymes or arranged his tercets in the Italian or what was to

become the 'French' style, he founded with the 1549 *Olive* the French *canzoniere*. And the *Vers Lyriques*, before the appearance of Ronsard's *Odes*, explore the composition of the Horatian type of lyric. The thirteen odes, some in continuous verse, some in stanza form, treat of the praise of Anjou, of love, of human miseries and the inconstancy of Fortune and the way to bear them, of Bacchic excitement, of despair, of the immortality of the poets. Horace is never far away, though appropriate details are gathered from other, mainly antique, sources; but Joachim has already assimilated them, and is never slavish.

Both the *Deffence* and the poetry aroused opposition and fierce criticism, especially from Barthélemy Aneau, the 'Quintil Horatien', who, not always unjustly, scarified the doctrines of the *Deffence* and the execution of the poems. Joachim himself was harassed by illness, and deafness was beginning to torment him. Yet he went on to complete the *Recueil de Poësie* (November 1549) which is largely occasional or unashamedly addressed to the great. The 'official' poems are rather dull, if eloquent; some of the odes deal with moral commonplaces; through almost all runs the praise of Madame Marguerite, to whom, as has been said, the whole collection is dedicated. Among the poems is the oft-cited 'D'escrire en sa langue'. Joachim was seeking patronage, but he re-stated some of his doctrines at the same time.

In October 1550, du Bellay published an augmented *Olive*, its 50 sonnets increased to 115, accompanied by the *Musagnæomachie* and five new odes, including one to Salmon Macrin on the death of his wife. The general tone of the odes continues that of the *Vers Lyriques* of 1549. The *Musagnæomachie* is more interesting than Chamard allows: not only for its frank use of allegory, for its crescendo of enthusiasm, but also because it is, as it were, a poetically embellished counterpart to the new preface to the *Olive*, in which Joachim defends himself against the attacks of adversaries and critics of his 1549 productions. There is no surrender on the main principles of the *Deffence*, but there are signs of a willingness to abate its harshnesses and its imperatives. Imitation, for instance, is not a necessity, but a means, to be voluntarily adopted, of enriching oneself and so making oneself capable of truly original work. The sonnets newly added, while still looking to the same models, include more for which no precise literary source is known and which seem to demonstrate that Joachim had thoroughly

assimilated his models and could indeed launch out in his own
craft.

In 1550-1, however, there was certainly some slowing
down in the poet's activity. His illness persisted and kept him
tied to his bed. The year 1551 saw only one production by him:
his collaboration with Ronsard and Baïf in the *Tombeau de
Marguerite, Royne de Navarre*, a translation into French quatrains
of the Latin distichs composed by the noble English sisters
Anne, Marguerite and Jane Seymour. The same year saw the
death of Joachim's brother René, who left to the poet the guardianship of his eleven-year-old son, Claude, and an entangled
heritage of lawsuits, which were to bedevil much of the rest
of his life. He was not entirely idle, however, since in the
February of the following year there appeared a translation of
the fourth book of the *Aeneid*, of an extract from Ovid's
Heroïdes and of a short poem (all on Dido) by Ausonius, together
with the *Œuvres de l'invention de l'autheur* and the *XIII Sonnetz de
l'Honneste Amour*. The preface to this collection is a sad one:
poetry has consoled and enchanted Joachim, but has had little
other reward and now 'les moindres occupations que me puissent presenter mes affaires domestiques, me retirent facilement
de ce doulx labeur, jadis seul enchantement de mes ennuys'.
This collection, he says, may well be 'les derniers fruictz de
nostre jardin, non du tout si savoureux que les premiers, mais
(peult estre) de meilleure garde'. It begins not with original
work, but with a translation—after all, it is Vergil and, though
he has not forgotten what he had said about translation earlier,
a man can change his mind. Joachim's translations are not
epoch-making, but are good and not without poetical merit.
The *Inventions* begin with the 'Complainte du Desesperé',
developed from the 1549 'Chant du Desesperé' of the *Vers
Lyriques* into a long, uneven poem with some moving and
sincere passages; it is followed immediately by a 'Hymne
chrestien' that counterbalances it. The contents are mixed indeed:
an Old Testament story retold (David and Goliath), a moral
ode to his kinsman the Cardinal, a call to poets to reject the
pagan lyre and take up the Christian one, a discourse on virtue
and the foibles of men, some complimentary pieces and an
adaptation of Buchanan's Latin poem on the wretchedness of
students of letters in Paris under the title 'Adieu aux Muses'.
In these odes, as in his others, du Bellay reaches sometimes a
high level of competence and sometimes moves us, but he

never reaches sublimity. The Christian inspiration is to be noted; it had shown itself already in some of the last sonnets of the 1550 *Olive* and was never entirely to disappear. The *XIII Sonnetz de l'Honneste Amour* still sing of love, but, perhaps under the influence of Pontus de Tyard, they concentrate more on the spiritual and less on the physical beauties of the beloved. The whole collection, imperfect as it is, is less bookish and more deeply felt than its predecessors.

March 1553 saw the appearance of a second edition of the *Recueil de Poësie*, augmented by four pieces: a translation of a passage of *Aeneid*, Book V, a rather cold elegy full of commonplaces, a not unpleasing but over-long 'Chanson' and, first among the additions, the celebrated 'A une Dame', a lively satire against Petrarchan artificialities, later to be rewritten for the *Jeux Rustiques* as 'Contre les Petrarquistes'. Joachim seems full of changes of mind and of self-contradictions, but these changes were frank and open and should perhaps bring credit rather than reproach upon him; at all events, they appear to be stages on the way to a fresher, simpler, more personal style. The following month, he was to set off for Rome, but a number of poems that were not to appear until much later—many of them after his death—were composed in 1552 and 1553 before his departure. Such was the rumbustious 'Satyre de Maistre Pierre du Cuignet sur la Petromachie de l'Université de Paris' and a 'Probleme' on the same subject, a quarrel between Pierre Gaillard and Pierre Ramus (hence 'Petromachie'), two luminaries of the university, on whether dialectic should be taught through the orators only or through the poets. This quarrel had already been satirized by Rabelais in the new prologue to his *Quart Livre* (1552). Such also were an ode in trisyllabic verse on Amadis, an ode to Jean-Pierre de Mesmes and a 'Hymne de la Santé'; also the 'Ode sur la naissance du petit duc de Beaumont', son (destined soon to die) of Jeanne d'Albret, daughter of Marguerite de Navarre. It was perhaps at this time, too, that Joachim exchanged verses with Jeanne herself in a series of sonnets.

Jean du Bellay, cardinal and statesman, was called from his retirement in 1553 to represent the king in Rome; he offered Joachim a place in his household. The journey began in April 1553 and took the party through Saint-Symphorien-de-Lay, where, ten years earlier, the cardinal's brother Guillaume had died; Joachim composed a couple of sonnets in his memory.

B

Then on to Lyons where, again in sonnets, he saluted Pontus de
Tyard, Guillaume des Autelz and Maurice Scève; then over the
Alps where our poet was attacked by fever and thought to die,
but was cured by a blood-letting, as he tells us in another sonnet.
At last he reached Rome in June.

Joachim's enthusiasm and expectations were boundless. With
Bailleul he explored the city. The Eternal City, its venerable
remains, perhaps the more striking in that many of them were
still half-buried in the ground or lying in overgrown heaps of
rubble, the more exciting in that every year, every month, every
day, new treasures were being unearthed, its stirring history
becoming real as he saw or touched this column, this broken
arch; but there were also its modern palaces, its artistic, literary
and philosophical activities, its pagan decay and its Christian
sanctity. All these were to be drunk in, savoured and assimilated.
It may well be that the *Romae Descriptio* was one of Joachim's
earliest compositions in Rome; it is vigorous, firm, full of
enthusiasm and with little or no trace of disillusionment, like
the first impact of Rome on an eager and receptive mind. His
disappointment and disillusionment were certainly not immediate.
It was only with the lapse of time and with experience that the
hollowness, vanity and corruption of Rome were perceived,
and then only perhaps because they came to be seen through
the eyes of a poet obliged to be a businessman, of a poet who
saw—or thought he saw—his friends left behind in Paris making
their way to honours and wealth through the favour of the king,
while he, poor wight, was in exile far away. Most of the *Regrets*
were, to judge from allusions they contain, not written before
the second or even the third year of his sojourn in Rome.
Distasteful, tiring, embarrassing, endless and often boring as
the duties of the intendant of a Cardinal's household could be,
Joachim yet found time to compose his four masterpieces: the
Antiquitez, the *Regrets*, the *Divers Jeux Rustiques* and the Latin
Poemata.

Much has been written on the chronology of these collections,
but the problem as a whole remains open. Some individual
items can be dated with precision, but whether the *Antiquitez*
as a whole were conceived and executed before the *Regrets*,
whether the Latin or the French versions of *Poemata* or *Regrets*
came first, these and other questions are still a matter of specula-
tion. The four collections are perhaps best regarded as four
facets of a continuous process of composition, the medium

being chosen according to the subject and the mood, with the *Regrets* as the final record, so to speak, of the disillusionment. At any rate it is the *Regrets* that carry on the story back over the Alps to Paris.

The *Regrets* and the *Antiquitez* speak for themselves. The poet's technique with the sonnet was at its peak and his hand is firm; the telling last line, the 'regularity' of the sonnets, the easy diction and the intensely personal tone are signs of his mastery. Not that all bookish 'sources' are absent: Joachim has not forgotten the Italian sonneteers and their devices—how could he in Italy?—nor the Latin poets and their commonplaces; indeed he seems to have added to his reading. But all these are fused as never before in graceful lamentation for his absence from Liré or for his wretched lot, overloaded with anxieties, cares and duties, or in biting satire or wryly humorous quip. The *Jeux Rustiques*, starting with another—and successful— experiment in translation (this time of Navagero or Naugerius) and leading on to a variety of poems of widely differing type from 'Baysers', luscious like those of Johannes Secundus, to Marotic badinages with many a point of satire, may well have been not merely literary *Lusus* (Naugerius's title) but real 'divertissements' for the poet. His poetry has become direct, simple, versatile. The *Poemata* may conceivably show us a du Bellay who, in spite of the adjurations of the *Deffence* and of 'D'escrire en sa langue', wishes to build up a reputation as a leading neo-Latin poet. True, he made his excuses for writing in Latin: no one in Rome understood French; Ovid, exiled among the Getae, learned their language. Some of the *Poemata*, like many of the *Regrets*, were composed after Joachim's return to Paris, but he had already begun his Latin verse by the end of 1554, since Ronsard by early 1555 had specimens of them; sonnet VII of the *Continuation des Amours* addresses Joachim thus:

> Cependant que tu vois le superbe rivage
> De la riviere Tusque, et le mont Palatin,
> Et que l'air des Latins te fait parler Latin,
> Changeant à l'estranger ton naturel langage . . .

The *Poemata*, like the *Regrets*, are a kind of journal, but they record one subject that does not appear in the French sonnets: the poet's love for Faustina. The *Amores* which form part of the Latin collection recount an amorous adventure that seems to me to smack too much of a mixture of the Latin elegiac

poets and of Italian comedy to convince me of the poet's fidelity
to fact. The Cardinal's collection of statues, acquired in 1556,
contained no less than four busts of Faustina (no doubt one or
other of the Antonine Imperial ladies of that name); the co-
incidence of dates is significant. Perhaps another imaginary
mistress, yet some of the *Amores Faustinae* seem sincere and are
certainly pleasing. The other parts of the Latin collection are
elegies, epigrams and epitaphs.

At the end of August 1557, du Bellay packed his traps and
left Rome. Perhaps—but only perhaps—the Cardinal had wind
of the Faustina affair; more probably he thought that Joachim
needed a change of air; certainly he wanted a trustworthy
person to handle his affairs in Paris. By a roundabout itinerary
sketched for us in the *Regrets*, Joachim eventually reached Paris.
Of all his poet friends the good Dorat alone saluted his arrival
with a tribute in verse. Worse was to come, though now perhaps
for the first time, thanks to benefices conferred on him by the
Cardinal, the poet's financial situation was assured, and though
he had in his baggage the manuscripts of the poems that were
to immortalize him. The troubles were domestic and official.

The chief domestic ones stemmed from his guardianship
of his nephew, Claude. Claude's mother was a Malestroit;
the Malestroit fief of Oudon had been sequestered when, in
1527, Jean and Julien de Malestroit had been convicted *in
absentia* of coining; it had been later redeemed, sold to René du
Bellay (Claude's father) but disputed by Magdelon de la Roche,
who should have been the rightful heir. The matter was not
settled when Joachim left for Rome, but his representatives,
Claude de Bizé and the poet's sister Catherine and her husband,
Christophe de Breil, were charged with a watching brief.
In 1553, perhaps when Joachim was on his way to Italy,
Magdelon de la Roche, who seems to have been adopting a
dog-in-the-manger attitude, ceded the fief in exchange for
protection to Anne de Montmorency, Constable of France, who
accepted it. Litigation went on, but in August 1559 Joachim,
on behalf of his nephew, conceded the fief to Montmorency in
consideration of a sum in compensation. Claude was apparently
satisfied since, in the December of the same year, he appointed
Joachim and Catherine as usufructuaries of certain incomes of
his.

The official troubles also involved relatives. They turned on
what was basically an impossible position. The Cardinal,

conforming with the provisions of a decree of the Council of Trent on pluralities, divested himself of certain benefices; he handed over the bishopric of Paris to his kinsman Eustache in 1550, but kept certain rights concerning the patronage of benefices and the collection of dues. Joachim, on his return to Paris, was given the duty of supervising the Cardinal's interests, along with the right of conferring the benefices during the absence of Eustache from Paris. Before the first occasion when Joachim could exercise this right, some person of ill will sent the Cardinal a copy of the *Regrets*. His Eminence was shocked by some of the sonnets which were directed against personages in high places, and perhaps hurt by the implication of some of Joachim's lamentations that the poet was reproaching him. An old friend of Joachim's, Jérôme de la Rovère, bishop of Toulon, warned him of what had happened, and Joachim wrote a fine letter in self-defence to the Cardinal. All seemed to be settled when, in August 1559, Eustache left Paris, charging his own nominees with the duty of the collation of benefices. Dispute soon arose between them and Joachim who, on the strength of his mandate from the Cardinal, resisted an appointment made by Eustache's officials. Eustache's brother, the Baron de Thouarcé, had no liking for Joachim and wrote him blustering, threatening letters saying that he would report him to the Cardinal. Joachim wrote at once to Eustache, explaining that he was trying to reconcile the Cardinal's instructions with the bishop's orders; and also to the Cardinal, sending Thouarcé's letter and a copy of his own letter to Eustache, and explaining the situation in the light of his obedience to the Cardinal's mandate. The Cardinal's reply is not preserved, but Eustache replied in a double-edged, but on the whole conciliatory, letter. Eventually the matter simmered down, but the whole affair, of which I have given the barest outline, must have cost Joachim dear in worry and anxiety. Illness and deafness returned, and Eustache complained to the Cardinal that, because of it, it was practically impossible to do business with Joachim.

In the meantime the *Regrets*, the *Jeux Rustiques*, the *Antiquitez* and the *Poemata* had appeared in January and March 1558. The last sonnets of the *Regrets*, after recounting his journey home and his arrival in Paris, deal ironically with court favourites and the rules of court life and end with sonnets of homage to Diane de Poitiers, Michel de l'Hospital, Madame Marguerite (whose praise predominates), the King and other members of the French Olympus. But there were other compositions in hand. Early in 1558 came the 'Hymne sur la prinse de Calais'; towards the end of the same year the 'Discours au Roy sur la Poësie', printed only after Joachim's death. In January 1559 he composed his 'Epithalame sur le mariage de . . . Philibert Emanuel, Duc de Savoye et . . . Marguerite de France'. In April he celebrated in a 'Chant Pastoral' the peace of Cateau-Cambrésis; in May, for a tournament, the 'Entreprise du Roy-Daulphin', and in July the French-Latin 'Tumbeau de Henry II' (who had been killed in the said tournament); in September the 'Discours sur le sacre' of François II. At some time late in the year Joachim wrote, but never put the final polish to, the 'Ample Discours . . . sur le faict des quatre estats', a noble poem in both sentiment and diction. He had also composed his Latin *Xenia*, a collection of forced and artificial 'etymologies' on the names of the great and of his friends; the twenty-nine sonnets of the *Amours* and the lusty satire of the 'Poete Courtisan'. Apart from the 'Ample Discours', only the last of all these late works is really worthy of serious attention. It is an ironical reversal of the principles of the *Deffence*; these principles would guide the true poet to greatness, but the 'poète courtisan' must take them in reverse if he were to succeed in the artificial atmosphere of the court. In October 1559, the beloved Madame Marguerite left her country to accompany her husband to Savoy, but Joachim was too ill to bid her farewell; one of his surviving letters shows us his bitter disappointment.

Joachim had found a home in Paris in the house of Claude de Bizé (or Bizet), Precentor of the Cathedral of Notre Dame. There, on New Year's Day 1560, the two friends spent a joyful evening. Joachim, full of zest, retired to his quarters and sat down to write. As he wrote a stroke ended his life; he was only 37. He was buried in the cathedral, in the chapel of Saints Crispin and Crispinian. He had composed a brief and dignified epitaph for himself; it was not used. Ironically, one by Pierre de Paschal was used instead. The tomb vanished in the eighteenth century, and now scarcely a vestige remains of the Paris that Joachim frequented; his rural haunts have fared hardly better. The usual tributes and lamentations were forthcoming and a 'Tombeau' to which Ronsard did not contribute. But Guillaume Aubert and Jean Morel collected his poems—it has been credibly suggested that Joachim had in fact handed them much of his unpublished matter—and published them in 1568–9 as *Les Œuvres Françoises de Joachim du Bellay*, the 'Recueil d'Aubert', as it is known. In 1569 also the *Xenia* were printed. Editions of his poems, some partial, some collective, continued to appear until after the end of the century. He also had his imitators, or at least those who drew inspiration from his work. The English poet Spenser, for instance, adapted the *Antiquitez* in his *Ruines of Rome* and hailed Joachim as

> Bellay! first garland of fine poesy
> That France brought forth . . .

Other English writers in Joachim's debt are Philip Sidney, William Alexander, Earl of Stirling, Samuel Daniel and Fowler.

Joachim du Bellay, acknowledged in his lifetime and by Ronsard as second only to the 'Prince des Poètes' in poetic talent, was in many ways a more engaging character than the Vendômois. Less learned and less of a Hellenist than Ronsard, he was more 'gentil'. He was, at first sight, more facile too, though we cannot easily forget the lines:

> Et peult estre que tel se pense bien habile,
> Qui trouvant de mes vers la ryme si facile,
> En vain travaillera, me voulant imiter.

He was certainly less austere than Ronsard, and is somehow nearer to us; he was also less proud and, all things considered, perhaps more generous. His odes have less magnificence than those of Ronsard, less substance, too; his love sonnets have less fire, less reality. But if he was not a grandiose poet, he was a great one. His 'rustic' poems are delicate and firm; his love of antiquity, especially Latin antiquity, was genuine and deep, his feeling for the crumbling monuments of ancient Rome sincere. But it is his personal poetry, whether it be in the familiar or the elegiac or the satirical sonnets of the *Regrets* or in the humour of the satirical poems, that makes him worthy of remembrance and of affection. Nor must we forget that he forestalled Ronsard in the sonnet and in the 'discours' but does not seem to have grudged Ronsard's success in the former, for he did not live to see his success in the latter.

The continuity of certain veins in the work of du Bellay surprises, in spite of the contradictions, so often pointed out, between his early theory and later practice. There is contradiction or at least change of mind (and variations thereon) in the matter of Petrarchism, his attacks upon it and return to it; in the matter of the use of the vernacular and of Latin; in the matter of translation; but there is continuity in the development of the satire, especially that of the courtesan, of the court poet, of the place-seekers with nothing but their guile to recommend them. The contradictions are not those of the hypocrite, but of the poet feeling his way, sometimes in despair, sometimes in hope. They are the contradictions of a very human man on our own level, of one who was able to express in often faultless verse the sentiments that are very much our own. 'Le doux Bellay' well merited his epithet.

SELECT BIBLIOGRAPHY

I. MODERN EDITIONS OF THE POETICAL WORKS OF DU BELLAY

Œuvres de Joachim du Bellay, ed. Marty-Laveaux, 1866–7, 2 volumes (Collection de la Pléiade Françoise).

(Based on the collective edition of 1568–9, with some variants.)

Poésies françaises et latines de Joachim du Bellay, avec notice et notes par E. Courbet. Paris, Garnier, 1918, 2 volumes.

(Pays tribute to the new arrangement of the Chamard edition then in progress, but bases text on Marty-Laveaux. The Latin poems are at the end of the first volume.)

Joachim du Bellay: Œuvres poétiques, édition critique publiée par Henri Chamard, Paris, Société des Textes Français Modernes, 1907–31, 6 volumes.

(This is the indispensable edition for scholarly work. The texts are based on the first editions, except where, of two almost simultaneous printings, one presents a manifestly more correct text. Variants are given for all editions up to the 1568–9 collective edition. There are many and invaluable footnotes including the text of the main Ancient and Italian sources, while the introductions to the various volumes are of the highest importance both for the establishment of the text and the placing of the works in the poet's development. References to this edition are given in our notes.)

Joachim du Bellay: Les Antiquitez de Rome et Les Regrets, avec une introduction de E. Droz. Genève, Droz; Lille, Giard, 1947 (Textes Littéraires Français).

(Short but interesting introduction; brief notes. Text as Chamard.)

Joachim du Bellay: Divers Jeux Rustiques, édition critique commentée par Verdun L. Saulnier. Lille, Giard; Genève, Droz, 1947 (Textes Littéraires Français).

(Text, as in Chamard, that of original edition. Critical apparatus confined to three pages except for 'Contre les Petrarquistes', for which variants from 'A une Dame' are given in footnotes. An excellent introduction of wide and imaginative scope; useful notes; Latin texts translated by Joachim in appendix.)

(The two main editions of the *Deffence* are both by H. Chamard: that of 1904 (Paris, Fontemoing) and the later, briefer but more up-to-date edition published by the Société des Textes Français Modernes in 1948. Note also *Lettres de Joachim du Bellay*, ed. Pierre de Nolhac, 1883; two further letters in the *Revue d'Histoire Littéraire de la France*, 1894 and 1899.)

II. STUDIES ON DU BELLAY

H. Chamard, *Joachim du Bellay*, Lille, 1900.
(Still the essential basis.)

L. Le Bourgo, *De Joachimi Bellaii latinis Poematis*, Cognac, 1903.

R. V. Merrill, *The Platonism of Joachim du Bellay*, Chicago, 1925.
(See also next section of bibliography.)

J. Vianey, *Les Regrets de Joachim du Bellay*, Paris, 1930 (Grands Événements Littéraires).

(The value and interest of this excellent study go far beyond what is indicated in the title.)

J. G. Fucella, 'Sources of Du Bellay's *Contre les Pétrarquistes*', *Modern Philology*, August 1930.

A. François, *Les sonnets suisses de Joachim du Bellay*, Lausanne, 1947.

(Text, commentary and documents.)

V. L. Saulnier, 'Commentaires sur Les Antiquitez de Rome', *Bibliothèque d'Humanisme et Renaissance*, Vol. XII, 1950.

Valuable, not merely for the elucidation of the text, but also for the remarks on the relationship between the various Roman productions of du Bellay.)

V. L. Saulnier, *Du Bellay: l'homme et l'œuvre*, Paris, Boivin, 1951 («Collection Connaissance des Lettres»).

(Stimulating and comprehensive survey with excellent bibliographical material.)

W. D. Elcock, 'English Indifference to Du Bellay's *Regrets*', *Modern Language Review*, Vol. XLVI, 1951.

V. L. Saulnier, 'Des vers inconnus de Bertrand Berger et les relations du poète avec Dorat et Du Bellay', *Bibliothèque d'Humanisme et Renaissance*, Vol. XIX, 1957.

(See below, introductory note to XCIX.)

G. Dickinson, *Du Bellay in Rome*, Leiden, Brill, 1960.

(Invaluable for the topographical, social, ecclesiastical, historical and political background to Joachim's Roman compositions, especially the *Regrets*. I also owe to this book the information in my introduction about the Faustina busts.)

III. GENERAL WORKS

J. VIANEY, *Le Pétrarquisme en France au XVIe siècle*, Montpellier, Coulet, 1909.

(A masterly work. For du Bellay, see especially Ch. II, parts ii, iv and viii; Ch. V.)

H. CHAMARD, *Histoire de la Pléiade*, Paris, Didier, 1939–40, 4 volumes.

(The capital work up to the present on the Pléiade poets. On du Bellay it has the authority of a lifetime's work. The chapters dealing with our poet are in Volumes I and II. Excellent index in Volume IV.)

H. WEBER, *La création poétique au XVIe siècle en France*, Paris, Nizet, 1956, 2 volumes.

(Interesting chapters on the social condition of poets and the influence of court life; poetic theories; and a study of themes used by the Pléiade in their love poetry. Ch. VI is devoted to 'La poésie élégiaque et satirique de du Bellay'.)

R. V. MERRILL and R. J. CLEMENTS, *Platonism in French Renaissance Poetry*, New York University Press, 1957.

(A systematic treatment of Platonistic themes with many interesting remarks on Joachim's dips into Platonism.)

SUPPLEMENT

I. MODERN EDITIONS

The Chamard edition was reprinted, edited by H. Weber, in 1961.

Joachim du Bellay: Les Regrets et autres Œuvres Poëtiques suivis des Antiquitez de Rome. Plus un Songe ou Vision sur le mesme subject, texte établi par J. Jolliffe, introduit et commenté par M. A. Screech. Genève, Droz, 1966 (Textes Littéraires Français 120).

(Stimulating introduction; notes particularly valuable for parallels.)

II. STUDIES ON DU BELLAY

G. SABA, *La poesia di Joachim du Bellay*, Messina-Firenze, Casa Editrice G. d'Anna, 1962.

(Very useful 'état présent'; lively, sensitive and penetrating observations on previous criticism and on texts.)

J. C. LAPP, 'Mythological imagery in Du Bellay', *Studies in Philology*, Vol. LXI, 1964.

E. CALDARINI, 'Nuove fonti italiane dell'*Olive*', *Bibliothèque d'Humanisme et Renaissance*, Vol. XXVII, 1965.

(With few exceptions, these sources had already been pointed out by Mlle Y. Niord in her unpublished thesis, *The imitation of Italian writers in J. du Bellay's works* (Ph.D., Wales, 1958) which can be consulted in the National Library of Wales or in the library of the University College of Wales, Aberystwyth. It is clear that the two scholars had arrived independently at their discoveries.)

III. GENERAL WORKS

A. W. SATTERTHWAITE, *Spenser, Ronsard and Du Bellay*, Princeton University Press, 1960.

G. CASTOR, *Pléiade Poetics*, Cambridge University Press, 1964.

JOACHIM DU BELLAY

L'OLIVE

(April 1549)

I

Je ne quiers pas la fameuse couronne,
Sainct ornement du Dieu au chef doré,
Ou que du Dieu aux Indes adoré
4   Le gay chapeau la teste m'environne.

Encores moins veux-je que lon me donne
Le mol rameau en Cypre decoré:
Celuy qui est d'Athenes honoré,
8   Seul je le veux, & le Ciel me l'ordonne.

O arbre heureux, que la sage Deesse
En sa tutelle & garde a voulu prendre,
Pour faire honneur à son sacré autel!

12   Orne mon chef, donne moy hardiesse
De te chanter, qui espere te rendre
Egal un jour au Laurier immortel.

II

Ces cheveux d'or sont les liens, Madame,
Dont feut premier ma liberté surprise,
Amour la flamme autour du cœur eprise,
4   Ces yeux le traict qui me transperse l'ame,

Fors sont les neudz, apre & vive la flamme,
Le coup, de main à tyrer bien apprise,
Et toutesfois j'ayme, j'adore & prise
8   Ce qui m'etraint, qui me brusle & entame.

Pour briser doncq', pour eteindre & guerir
Ce dur lyen, ceste ardeur, ceste playe,
Je ne quiers fer, liqueur ny medicine:

12   L'heur & plaisir que ce m'est de perir
De telle main, ne permect que j'essaye
Glayve tranchant, ny froydeur, ny racine.

III

Qui a peu voir celle que Déle adore
Se devaler de son cercle congneu,
Vers le pasteur d'ung long sommeil tenu
4   Dessus le mont qui la Carie honore:

Et qui a veu sortir la belle Aurore
Du jaulne lict de son espoux chenu,
Lors que le ciel encor' tout pur & nu
8   De mainte rose indique se colore:

Celuy a veu encores (ce me semble)
Non point les lyz & les roses ensemble,
Non ce que peult le printemps concepvoir:

12   Mais il a veu la beaulté nompareille
De ma Deesse, ou reluyre on peult voir
La clere Lune & l'Aurore vermeille.

IV

La nuyt m'est courte, & le jour trop me dure,
Je fuy' l'amour, & le suy' à la trace,
Cruel me suy', & requiers vostre grace,
4   Je prens plaisir au torment que j'endure.

Je voy mon bien, & mon mal je procure,
Desir m'enflamme, & crainte me rent glace,
Je veux courir, & jamais ne deplace,
8   L'obscur m'est cler, & la lumiere obscure.

Votre je suy', & ne puis estre mien,
Mon cors est libre, & d'un etroict lyen
Je sen' mon cœur en prison retenu.

12 Obtenir veux, & ne puy' requerir,
   Ainsi me blesse, & ne me veult guerir
   Ce vieil enfant, aveugle archer, & nu.

V

Apres avoir d'un braz victorieux
Domté l'effort des superbes couraiges,
Aucuns jadis bastirent haulx ouvraiges,
4 Pour se vanger du tens injurieux.

Autres craingnans leurs actes glorieux
Assubjetir à flammes & oraiges,
Firent ecriz, qui malgré telz oultraiges
8 Ont fait leurs noms voler jusques aux cieux.

Maintz au jourd'huy en signe de victoire
Pendent au temple armes bien etophées:
Mais je ne veux comme eux acquerir gloire.

12 Avoir eté par vous vaincu & pris,
   C'est mon laurier, mon triumphe & mon pris,
   Qui ma depouille egale à leurs trophées.

VI

Sacré rameau, de celeste presaige,
Rameau, par qui la columbe envoyée,
Au demeurant de la terre noyée
4 Porta jadis un si joyeux messaige:

Heureux rameau, soubz qui gist à l'umbraige
La douce paix icy tant desirée,
Alors que Mars & la Discorde irée
8 Ont tout remply de feu, de sang & raige:

S'il est ainsi que par les sainctz ecriz
Soys tant loué, helas! reçoy mes criz,
O mon seul bien! ô mon espoir en terre!

12 Qui seulement ne me temoingnes ores
   Paix & beautens: mais toymesmes encores
   Me peux sauver de naufrage & de guerre.

VII

Or' que la nuyt son char etoilé guide,
Qui le silence & le sommeil rameine,
Me plaist lascher, pour desaigrir ma peine,
4   Aux pleurs, aux criz & aux soupirs la bride.

O ciel! ô terre! ô element liquide!
O ventz! ô boys! rochers, montaigne & pleine,
Tout lieu desert, tout rivaige & fonteine,
8   Tout lieu remply & tout espace vide!

O demydieux! ô vous, nymphes des boys!
Nymphes des eaux, tous animaux divers,
Si oncq' avez senty quelque amitié,

12   Veillez piteux ouyr ma triste voix,
Puis que ma foy, mon amour & mes vers
N'ont sceu trouver en Madame pitié.

VIII

Qui a nombré, quand l'astre qui plus luyt,
Ja le milieu du bas cercle environne,
Tous ces beaux feuz, qui font une couronne
4   Aux noirs cheveux de la plus clere nuyt:

Et qui a sceu combien de fleurs produyt
Le verd printems, combien de fruictz l'autonne,
Et les thesors, que l'Inde riche donne
8   Au marinier, qu'avarice conduyt:

Qui a conté les etincelles vives
D'Aetne ou Vesuve, & les flotz qui en mer
Hurtent le front des ecumeuses rives:

12   Celuy encor' d'une, qui tout excelle,
Peut les vertuz & beautez estimer,
Et les tormens que j'ay pour l'amour d'elle.

IX

Moy, que l'amour a fait plus d'un Lëandre,
De cet oyzeau prendray le blanc pennaige,
Qui en chantant plaingt la fin de son aige
4 Aux bords herbuz du sinueux Mëandre.

Dessoubz mes chantz voudront (possible) apprendre
Maint boys sacré & maint antre sauvaige,
Non gueres loing de ce fameux rivaige,
8 Ou Meine va dedans Loyre se rendre.

Puis descendant en la saincte forest,
Ou maint amant à l'umbraige encor' est,
Iray chanter au bord oblivieux,

12 D'ou arrachant votre bruyt nonpareil,
De revoler icy hault envieux,
Luy feray voir l'un & l'autre soleil.

VERS LYRIQUES

X. LES LOVANGES D'AMOVR

AV SEIGNEVR RENÉ VRVOY

Le cler ruysselet courant,
  Murmurant
Aupres de l'hospitale umbre,
4 Plaist à ceux qui sont lassez
  Et pressez
De chault, de soif & d'encombre.

Et ceux qu'Amour vient saisir,
8 Leur plaisir,
C'est parler de luy souvent.
D'Amour soyez doncq', mes chantz,
  Par ces champs,
12 Dessoubz la frescheur du vent.

Ces eaux cleres & bruyantes,
  Eaux fuyantes
D'un cours assez doulx & lent,
16 Donneront quelque froideur
  A l'ardeur
De mon feu trop violent.

Erato, à ma chanson
20 Donne son,
Et me permetz approcher
Pres de toy pour m'esjouyr,
  Et t'ouyr
24 Du hault de ce creux rocher.

Le roy, le Pere des Dieux
  Tient les cieux
Dessoubz son obeïssance,
28 Neptune la mer tempere,
  Et son frere
Sur les enfers a puissance.

6

Mais ce petit Dieu d'aymer,
32   Ciel & mer,
Et le plus bas de la terre,
D'un sceptre victorieux,
           Glorieux,
36   Soubz son pouvoir tient & serre.

Sans luy, du ciel le haut temple,
           Large & ample,
En ruyne tumberoit,
40   Avecq' chacun element,
           Tellement
Discorde par tout seroit.

Amour, gouverneur des villes,
44   Loix civiles
Et juste police ordonne,
Et l'heur de paix, qu'on va tant
           Souhaitant,
48   C'est luy seul qui le nous donne.

Les richesses de Ceres,
           Les forestz,
Les sepz, les plantes & fleurs
52   Prennent d'Amour origine,
           Goust, racine,
Vertu, formes & couleur.

Par luy tout genre d'oyseaux
56   Sur les eaux
Et par les boys s'entretient.
Tout animal de servaige
           Et sauvaige
60   De luy son essence tient.

Par ce petit Dieu puissant,
           Delaissant
Le doulx gyron de la mere,
64   La vierge femme se treuve,
           Et fait preuve
De la flamme doulceamere.

Que me chaut si on le blasme,
68   Et sa flamme?
Amour ne scait abuser:
Et ceux qui mal en recoyvent,
            Ne le doyvent,
72   Mais eux mesmes, accuser.

Amour est tout bon & beau,
            Son flambeau
N'enflamme les vicieux:
76   Juste est & de simple foy,
            C'est pourquoy
Il est tout nu & sans yeux.

Leurs victorieux charroys
80   Ducz & Roys
Doyvent à ses sainctz autelz,
Le poëtique ouvrïer
            Son laurier,
84   Et les Dames leurs beautez.

Puis doncq' qu'il est notre autheur,
            Sa haulteur
Bien adorer nous devons,
88   Dessus son autel sacré,
            Saichant gré
A luy, de quoy nous vivons.

La jeunesse (helas) nous fuyt,
92   Et la suyt
Le froid aage languissant:
Adonques sont inutiles
            Les scintiles
96   Du feu d'Amour perissant.

XI. DE L'IMMORTALITÉ DES POËTES

AV SEIGNEVR BOVIV

Sus, Muse, il faut que lon s'eveille,
Je veux sonner un chant divin.
Ouvre donques ta docte oreille,

4 O Bouju, l'honneur Angevin!
   Pour ecouter ce que ma Lyre accorde
   Sur sa plus haute & mieux parlante chorde.

   Cetuy quiert par divers dangers
8 L'honneur du fer victorieux:
   Cetuy la par flotz etrangers
   Le soing de l'or laborieux.
   L'un aux clameurs du palaiz s'etudie,
12 L'autre le vent de la faveur mandie.

   Mais moy, que les Graces cherissent,
   Je hay' les biens que lon adore,
   Je hay' les honneurs qui perissent,
16 Et le soing qui les cœurs devore:
   Rien ne me plaist, fors ce qui peut deplaire
   Au jugement du rude populaire.

   Les lauriers, prix des frontz scavans,
20 M'ont ja fait compaignon des Dieux:
   Les lascifz Satyres suyvans
   Les Nymphes des rustiques lieux
   Me font aymer loing des congnuz rivaiges
24 La sainte horreur de leurs antres sauvaiges.

   Par le ciel errer je m'attens
   D'une esle encor' non usitée,
   Et ne sera gueres long tens
28 La terre par moy habitée.
   Plus grand qu'envie, à ces superbes viles
   Je laisseray leurs tempestes civiles.

   Je voleray depuis l'Aurore
32 Jusq' à la grand'mere des eaux,
   Et de l'Ourse à l'epaule more,
   Le plus blanc de tous les oyzeaux.
   Je ne craindray, sortant de ce beau jour,
36 L'epesse nuyt du tenebreux sejour.

   De mourir ne suys en emoy
   Selon la loy du sort humain,
   Car la meilleure part de moy

40   Ne craint point la fatale main:
Craingne la mort, la fortune & l'envie,
A qui les Dieux n'ont donné qu'une vie.

Arriere tout funebre chant,
44   Arriere tout marbre & peinture,
Mes cendres ne vont point cherchant
Les vains honneurs de sepulture:
Pour n'estre errant cent ans à l'environ
48   Des tristes bords de l'avare Acheron.

Mon nom du vil peuple incongnu
N'ira soubz terre inhonoré,
Les Seurs du mont deux fois cornu
52   M'ont de sepulchre decoré,
Qui ne craint point les aquilons puissans,
Ny le long cours des siecles renaissans.

RECUEIL DE POËSIE

XII. A MADAME MARGVERITE

Quicunque soit qui s'estudie
En leur langue imiter les vieulz,
D'une entreprise trop hardie
4   Il tente la voye des cieulx,

Croyant en des ailes de cire,
Dont Phebus le peult déplumer,
Et semble, à le voir, qu'il desire
8   Nouveaux noms donner à la mer.

Il y met de l'eau, ce me semble,
Et pareil (peut estre) encor' est
A celuy qui du bois assemble,
12   Pour le porter en la forest.

Qui suyvra la divine Muse,
Qui tant sceut Achille extoller?
Ou est celuy qui tant s'abuse
16   De cuider encores voler

Ou, par regions incongnues,
Le cygne Thebain si souvent
Dessoubs luy regarde les nues,
20   Porté sur les ailes du vent?

Qui aura l'haleine assez forte
Et l'estommac, pour entonner
Jusqu'au bout la buccine torte,
24   Que le Mantuan fist sonner?

Mais ou est celuy qui se vante
De ce Calabrois approcher,
Duquel jadis la main scavante
28   Sceut la lyre tant bien toucher?

Princesse, je ne veulx point suyvre
D'une telle mer les dangers,
Aymant mieulx entre les miens vivre
32   Que mourir chez les estrangers.

Mieulx vault que les siens on precede,
Le nom d'Achille poursuyvant,
Que d'estre ailleurs un Diomede,
36   Voire un Thersite bien souvant.

Quel siecle esteindra ta memoire,
O Boccace? & quels durs hyvers
Pouront jamais seicher la gloire,
40   Petrarque, de tes lauriers verds?

Qui verra la vostre muëtte,
Dante, & Bembe à l'esprit hautain?
Qui fera taire la musette
44   Du pasteur Nëapolitain?

Le Lot, le Loyr, Touvre & Garonne,
A voz bords vous direz le nom
De ceulx que la docte couronne
48   Eternize d'un hault renom.

Et moy (si la doulce folie
Ne me deçoit) je te promés,
Loyre, que ta lyre abolie,
52   Si je vy, ne sera jamais.

MARGUERITE peut donner celle
Qui rendoit les enfers contens,
Et qui bien souvent apres elle
56   Tiroit les chesnes escoutans.

XIII. A BOVIV

LES CONDITIONS DV VRAY POËTE

Bouju, celuy que la Muse
D'un bon œil a veu naissant,
De l'espoir qui nous abuse
4   Son cœur ne va repaissant.

La faveur ambitieuse
Des grands, voluntiers ne suit,
Ny la voix contencieuse
8 Du Palaiz, qui tousjours bruyt.

Sa vertu n'est incitée
Aux biens que nous admirons,
Et la mer sollicitée
12 N'est point de ses avirons.

La vieille au visaige blesme
Jamais grever ne le peult,
Qui se tormente elle mesme,
16 Quand tormenter elle veult.

Son etoile veult qu'il vive
Tousjours de l'amour amy,
Mais la volupté oysive
20 Ne l'a oncques endormy.

Il fuit voluntiers la vile,
Il hait en toute saison
La faulse tourbe civile
24 Ennemye de raison.

Les superbes Collisées,
Les Palaiz ambicieux,
Et les maisons tant prisées
28 Ne retiennent point ses yeux.

Mais bien les fontaines vives
Meres des petits ruisseaux
Au tour de leurs verdes rives
32 Encourtinez d'arbrisseaux,

Dont la frescheur, qui contente
Les beufz venans du labeur,
De la Canicule ardente
36 Ne sentit onques la peur.

Il tarde le cours des ondes,
Il donne oreilles aux boys,
Et les cavernes profundes
40 Fait rechanter soubs sa voix.

Voix, que ne feront point taire
Les siecles s'entresuivans:
Voix, qui les hommes peult faire
44   A eulx mesmes survivans.

Ainsi ton bruyt qui s'ecarte,
Bouju, tu feras parler,
Ainsi ta petite Sarte
48   Au mesme Pau s'esgaler.

O que ma Muse a d'envye
D'ouyr (te suyvant de pres)
La tienne des boys suyvie
52   Commander à ces forestz!

En leur apprenant sans cesse,
Et à ces rochers ici,
Le nom de nostre Princesse,
56   Pendant que ma lyre aussi

Cette belle MARGUERITE
Sacre à la posterité,
Et la vertu, qui merite
60   Plus d'une immortalité.

O l'ornement delectable
De Phebus! ô le plaisir,
Que Jupiter à la table
64   Sur tous a voulu choysir!

Luc, qui eteins la memoire
De mes ennuitz, si ces doigtz
Ont rencontré quelque gloire,
68   Tienne estimer tu la doibz.

Ou me guidez vous, Pucelles,
Race du Pere des Dieux?
Ou me guydez vous, les belles,
72   Et vous Nymphes aux beaux yeux?

Fuyez l'ennemy rivaige,
Gaignez le voisin rocher:
Je voy de ce boys sauvaige
76   Les Satyres approcher.

XIV. DIALOGVE D'VN AMOVREVX ET D'ECHO

Piteuse Echo, qui erres en ces bois,
Repons au son de ma dolente voix.
D'ou ay-je peu ce grand mal concevoir,
4 Qui m'oste ainsi de raison le devoir?   De voir.
Qui est l'autheur de ces maulx avenuz?   Venus.
Comment en sont tous mes sens devenuz?   Nuds.
Qu'estois-je avant qu'entrer en ce passaige? Saige,
8 Et maintenant que sens-je en mon couraige Raige
Qu'est-ce qu'aimer, & s'en plaindre souvent? Vent.
Que suis je donq', lors que mon cœur en fend? Enfant.
Qui est la fin de prison si obscure?   Cure.
12 Dy moy, quelle est celle pour qui j'endure?   Dure.
Sent-elle bien la douleur qui me poingt?   Point.
O que cela me vient bien mal à point!
Me fault il donq' (ô debile entreprise)
16 Lascher ma proye avant que l'avoir prise?
Si vault-il mieulx avoir cœur moins haultain,
Qu'ainsi languir soubs espoir incertain.

L'OLIVE

(October 1550)

XV

Si mes pensers vous estoient tous ouvers,
Si de parler mon cœur avoit l'usaige,
Si ma constance estoit peinte au visaige,
4 Si mes ennuiz vous estoient decouvers,

Si les soupirs, si les pleurs, si les vers
Montroient au vif une amoureuse raige,
Lors je pourroy' flechir vostre couraige,
8 Voire à pitié mouvoir tout l'univers.

Adoncq' Amour, seul tesmoing de ma peine,
Vous pouroit estre une preuve certaine
De ma fidele & serve loyaulté,

12 Qui d'aussi loing devant les autres passe,
Que le parfaict de vostre belle face
Hausse le chef sur toute aultre beaulté.

XVI

Divin Ronsard, qui de l'arc à sept cordes
Tiras premier au but de la memoire
Les traictz aelez de la Françoise gloire,
4 Que sur ton luc haultement tu accordes,

Fameux harpeur & prince de noz odes,
Laisse ton Loir haultain de ta victoire,
Et vien sonner au rivage de Loire
8 De tes chansons les plus nouvelles modes :

Enfonce l'arc du vieil Thebain archer,
Ou nul que toy ne sceut onq' encocher
Des doctes Sœurs les sajettes divines.

16

12   Porte pour moy parmy le ciel des Gaulles
Le sainct honneur des nymphes Angevines,
Trop pesant faix pour mes foibles epaules.

XVII

Le crespe honneur de cet or blondissant
Sur cet argent uny de tous coutez,
Sur deux soleils deux petiz arcz voutez,
4   Deux petiz brins de coral rougissant,

Ce cler vermeil, ce vermeil unissant
Oeillez & lyz freschement enfantez,
Ces deux beaux rancz de perles, bien plantez,
8   Et tout ce rond en deux pars finissant,

Ce val d'albastre, & ces coutaux d'ivoire,
Qui vont ainsi comme les flotz de Loire
Au lent soupir d'un zephire adoulci,

12   C'est le moins beau des beautez de Madame,
Mieulx engravée au marbre de mon ame,
Que sur mon front n'en est peint le soucy.

XVIII

La Canicule au plus chault de sa rage
Ne faict trouver la fresche onde si belle,
Ny l'arbrisseau si doulcement appelle
4   Le voyageur au fraiz de son ombrage:

La santé n'est de si joyeulx presage
Au lent retour de sa clerté nouvelle,
Que le plaisir en moy se renouvelle,
8   Quand j'apperçoy l'angelique visage.

Soit qu'en riant ses levres coralines
Montrent deux rancz de perles cristalines,
Soit qu'elle parle ou danse ou bâle ou chante,

12   Soit que sa voix divinement accorde
Avec' le son de la parlante chorde,
Tous mes ennuiz doulcement elle enchante.

XIX

Deja la nuit en son parc amassoit
Un grand troupeau d'etoiles vagabondes,
Et pour entrer aux cavernes profondes
4   Fuyant le jour, ses noirs chevaulx chassoit:

Deja le ciel aux Indes rougissoit,
Et l'Aulbe encor' de ses tresses tant blondes
Faisant gresler mile perlettes rondes,
8   De ses thesors les prez enrichissoit:

Quand d'occident, comme une etoile vive,
Je vy sortir dessus ta verde rive,
O fleuve mien! une Nymphe en rient.

12   Alors voyant cete nouvelle Aurore,
Le jour honteux d'un double teint colore
Et l'Angevin & l'Indique orient.

XX

Rendez à l'or cete couleur, qui dore
Ces blonds cheveux, rendez mil' autres choses:
A l'orient tant de perles encloses,
4   Et au Soleil ces beaux yeulx, que j'adore.

Rendez ces mains au blanc yvoire encore,
Ce seing au marbre & ces levres aux roses,
Ces doulx soupirs aux fleurettes decloses,
8   Et ce beau teint à la vermeille Aurore.

Rendez aussi à l'Amour tous ses traictz,
Et à Venus ses graces & attraictz:
Rendez aux cieulx leur celeste harmonie.

12   Rendez encor' ce doulx nom à son arbre,
Ou aux rochers rendez ce cœur de marbre,
Et aux lions cet' humble felonnie.

XXI

Ny par les bois les Driades courantes,
Ny par les champs les fiers scadrons armez,
Ny par les flotz les grands vaisseaux ramez,
4   Ny sur les fleurs les abeilles errantes,

Ny des forestz les tresses verdoyantes,
Ny des oiseaux les corps bien emplumez,
Ny de la nuit les flambeaux allumez,
8   Ny des rochers les traces ondoyantes,

Ny les piliers des sainctz temples dorez,
Ny les palais de marbre elabourez,
Ny l'or encor', ny la perle tant clere,

12   Ny tout le beau que possedent les cieulx,
Ny le plaisir pouroit plaire à mes yeulx,
Ne voyant point le Soleil qui m'eclere.

XXII

O seigneur Dieu, qui pour l'humaine race
As esté seul de ton pere envoyé!
Guide les pas de ce cœur devoyé,
4   L'acheminant au sentier de ta grace.

Tu as premier du ciel ouvert la trace,
Par toy la mort a son dard etuyé:
Console donq' cet esprit ennuyé,
8   Que la douleur de mes pechez embrasse.

Vien, & le bras de ton secours apporte
A ma raison, qui n'est pas assez forte,
Vien eveiller ce mien esprit dormant.

12   D'un nouveau feu brusle moy jusq' à l'ame,
Tant que l'ardeur de ta celeste flamme
Face oublier de l'autre le torment.

XXIII

Si nostre vie est moins qu'une journée
En l'eternel, si l'an qui faict le tour
Chasse noz jours sans espoir de retour,
4   Si perissable est toute chose née,

Que songes-tu, mon ame emprisonnée?
Pourquoy te plaist l'obscur de nostre jour,
Si pour voler en un plus cler sejour,
8   Tu as au dos l'aele bien empanée?

La, est le bien que tout esprit desire,
La, le repos ou tout le monde aspire,
La, est l'amour, la, le plaisir encore.

12   . La, ô mon ame au plus hault ciel guidée!
     . Tu y pouras recognoistre l'Idée
     De la beauté, qu'en ce monde j'adore.

XXIV

Arriere, arriere, ô mechant Populaire!
O que je hay ce faulx peuple ignorant!
Doctes espris, favorisez les vers
4   Que veult chanter l'humble prestre des Muses.

Te plaise donc, ma Roine, ma Déesse,
De ton sainct nom les immortalizer,
Avec' celuy qui au temple d'Amour
8   Baize les piez de ta divine image.

O toy, qui tiens le vol de mon esprit,
Aveugle oiseau, dessile un peu tes yeux,
Pour mieulx tracer l'obscur chemin des nues.

12   Et vous, mes vers, delivres & legers,
     Pour mieulx atteindre aux celestes beautez,
     Courez par l'air d'une aele inusitée.

XXV

De quel soleil, de quel divin flambeau
Vint ton ardeur? lequel des plus haulx Dieux,
Pour te combler du parfaict de son mieulx,
4   Du Vandomois te fist l'astre nouveau?

Quel cigne encor' des cignes le plus beau
Te prêta l'aele? & quel vent jusq'aux cieulx
Te balança le vol audacieux,
8   Sans que la mer te fust large tombeau?

De quel rocher vint l'eternelle source,
De quel torrent vint la superbe course,
De quele fleur vint le miel de tes vers?

12   Montre le moy, qui te prise & honnore,
Pour mieulx haulser la Plante que j'adore
Jusq' à l'egal des Lauriers tousjours verds.

XXVI.   LA MUSAGNŒOMACHIE

      .   .   .   .
      Homere premier sonna
      Et les raz & les grenouilles,
      Puis horrible il entonna
28   Les Phrigiennes depouilles.
      Dieu, qui en mon Loire mouilles
      L'or de tes crespes cheveux,
      Reçoy doucement les veux
32   De cete avantragedie:
      Afin qu'apres je dedie
      Et aux Muses & à toy
      D'une trompette hardie
36   Les victoires de mon Roy.

      Au milieu d'un val ombreux,
      Sous une voûte ancienne
      Gist un antre tenebreux,
40   Ou la nuit Cymmerienne
      Garde que Phebus ne vienne

D

Le percer jusqu'au dedens
Des traitz de ses yeux ardens.
44   Lethe de la prent sa source,
Qui d'une endormante course
Sort du cœur d'un rocher vieux,
Feutrant d'une humide mousse
48   Les pavoz oblivieux.

Le chant du coq reveillant
Du chien la soingneuse cure
N'habite au lieu sommeillant
52   Que le long Silence emmure:
L'oye à l'eclatant murmure
N'est en ce clos obscurci.
La le Sommeil endurci
56   Tient l'Ignorance embrassée:
Que la Terre couroussée
D'un estommac verd de fiel
Avec' Encelade & Cée
60   Vomit encontre le ciel.

Comme un lion s'elançant,
Elle a deux levres tortues:
Comme un asne balançant
64   Deux grand's oreilles pointues.
Ses pates de poil vestues,
Qui trainent ses membres lourds,
Immitent le pas d'un ours.
68   Une chair de sang mouillée
Enfle sa pense touillée.
Puis veautrant son pesant corps,
Comme une taupe aveuglée
72   Souleve le museau tors.

Maint sceptre victorieux,
Et mainte couronne saincte,
Maint chappeau laborieux,
76   Et mainte vesture ceincte
Toute diversement peinte
Ornoit le Monstre hideux,
Alors que tout depiteux
80   Montroit à la terre plaine

De son arrogance vaine,
Avoir la clef en ses mains
Du loyer & de la peine
84   Des miserables humains.

Vous qui les fables contez,
Ne decrivez plus Antée,
Ny les fiers chevaux dontez,
88   Ny l'ame en trois corps entée,
Ny le porc Erimantée,
Ny le lion Nemean,
Ny le serpent Lernean,
92   Ny la puante Chimere,
Ny Meduse, ny Cerbere,
Qui furent moins contrefaictz
Que ce Monstre, qui est pere
96   Des plus horribles forfaictz.

La Fraude, & le faulx Conseil,
Et la Discorde suyvie
D'Ambition & d'Orgueil,
100   Boureaux de l'humaine vie,
La calumnieuse Envie,
La Cruauté, qui consent
Au sang du peuple innocent,
104   La blandissante Malice,
La miserable Avarice,
Les peu durables Plaisirs,
Et l'oisiveté, nourice
108   Des impudiques desirs,

Les longs tragiques regrez,
La mort en l'ame imprimée,
Et des maulx jadis secrez
112   La bande mal enfermée,
C'est la furieuse armée,
Qui saccageant l'univers
Par tant d'alarmes divers,
116   Par fer, par flamme, par mine
Nostre bonheur extermine,
Sous le Monstre dereglé
Par la vengeance divine
120   A son malheur aveuglé.

FRANCOIS premier le chassa
Par la campaigne de France,
Et l'estommac luy passa
124   D'une inevitable lance.
Voici HENRY qui s'avance,
Qui d'un fer etincelant
Le chef luy va martelant.
128   CATARINE & MARGUERITE
Chacune d'elles irrite
La Beste au dos & au flanc,
Qui d'une haleine depite
132   Vomist un fleuve de sang.

Je voy le royal enfant,
Que tant de grace environne,
Qui d'un laurier triomphant
136   Desja, desja se couronne.
Voicy comme il eperonne
Sa juvenile vertu
Dessus le Monstre abatu.
140   Voicy l'honneur de l'Eglise,
Voicy Chatillon, & Guyse,
Et qui toucha de sa main
A la couronne promise
144   Du sainct college Romain.

Voicy l'arbre plantureux,
La juste equité congneue
De l'Olivier bienheureux.
148   Voicy la vertu chenue
Du seing de Pallas venue,
Mascon, dont la docte voix
Sucre l'oreille des Rois.
152   Voicy Monluc, qui arrive.
Laissant l'Ecossoise rive.
Pitho, qui le composa,
D'une humeur persuasive
156   Sa docte langue arrousa.

Le sagedocte Chiron
D'une mammelle fertile
Alaicte dans son giron

160 Le jeune François Achille.
C'est Danaise, qui distile
Une celeste liqueur
Abreuvant le jeune cœur,
164 Qui d'une genereuse ire
Desja (ce semble) desire
Manier sous un Phenix
Les armes, & de la Lire
168 Les sons en douceur finiz.

Je voy le Palais royal,
Des Parlements l'excellence,
Ou d'un contrepoix loyal
172 Les sainctes loix on balence.
La superbe violence
Du Monstre ennemi de Dieu
N'habite point en ce lieu.
176 La le protrait on contemple
Du vieil Senat, & l'exemple
Du jugement, qui estoit
Ou jadis dedens son temple
180 La sage vierge habitoit.

Comme du present des Grecs
Sur la sommeillante Troie
Tomboient les soudars secrés
184 Ardens à la riche proie:
La faveur des Dieux ottroie
Que la royale cité
Enfante un peuple incité
188 Des neuf pucelles ensemble.
C'est toy, Paris, ou s'assemble
La fleur des Grecs & Latins
Sur l'Ignorance qui tremble
192 Parmi ses riches butins.

Les scadrons avantureux
Des abeilles fremissantes
Forment leur miel savoureux
196 Des fleurs sans ordre naissantes
Par les plaines verdissantes.
Tel est le vol de mes vers,

Qui portent ces noms divers,
200 Discourant parmi le monde
D'une trace vagabonde.
Mais rien choisir je ne puis
Au grand thesor qui m'abonde,
204 Tant riche pauvre je suis.

Le grand visage des cieux,
Quand le char de la nuit erre,
Ne rit avecques tant d'yeux
208 A la face de la terre:
Et l'Inde riche n'enserre
Tant de perles & thesors,
Que la France dans son corps
212 Cache d'enfans poëtiques:
Qui en sonnez & cantiques,
Qui en tragiques sangloz
Font revivre les antiques
216 Au seing de la mort enclos.

Carle', Heroët, Saint Gelais,
Les trois favoriz des Graces,
L'utiledoux Rabelais,
220 Et toy Bouju, qui embrasses
Suivant les royales traces
L'heur, la faveur & le nom
De Pallas & de Junon.
224 Sceve, dont la gloire noüe
En la Saone, qui te loüe
Docte aux doctes eclerci,
Salel, que la France avoüe
228 L'autre gloire de Querci.

Peletier laborieux
En tes poëtiques œuvres,
Et Martin industrieux,
232 Qui fidelement decœuvres
L'art des antiques manœuvres,
Ne laissez, divins espris,
Vostre labeur entrepris.
236 Voicy Maclou, qui accorde
Le fer, le feu, la Discorde

D'un pouce non endormi,
Foudroyant dessus sa corde
240   L'Anglois, jadis ennemi.

Venez, l'honneur Loudunois,
Et ceux que mon Loire prise,
Lyon, & le Masconnois,
244   Et Tholose bien apprise.
Paris, chef de l'entreprise,
Faict son enseigne ondoyer
Pour l'ennemi foudroyer.
248   Sus donq, divine cohorte,
Qu'on ouvre la double porte
Du mont qui se fend en deux,
Afin que la guerre sorte
252   Dessus le Monstre hideux.

Je voy luire trois flambeaux,
De Phebus heureux augure,
Qui tremblent ardens & beaux
256   Au front de la nuit obscure.
A voir leur belle figure,
Je prevoy le grand Baïf
En ces trois encores vif
260   Sous nostre Dorat, qui dore
Ses vers, que Parnasse adore,
Dont l'art bien elabouré
De l'or de Saturne encore
264   A ce siecle redoré.

Qui est celuy qui du chef
Hurte le front des etoiles?
Qui les aeles de sa nef
268   Empenne de riches toiles?
Le vent, mary de ses voiles
Parmi les floz etrangers
Jusqu'au ventre des dangers
272   Le hausse, le baisse & brouille.
A voir sa riche depouille,
C'est le Pindare François,
Qui de Thebe & de la Pouille
276   Enrichist le Vandomois.

.   .   .   .

Dieu en Cirene adoré,
Ceint de branche verdissante,
Marie un archet doré
472 Avec la corde puissante
De ma Lire menaçante.
Sur les aeles de ton nom
Guinde bien hault le renom
476 De la guerre commencée
Par moy l'Angevin Alcée
Suivant les scadrons divers,
Qui l'Ignorance ont chassée
480 Par la foudre de leurs vers.

A quatre coursiers volans,
Dont la blancheur derobée
Decouvre dessus leurs flancs
484 La nege de frais tombée,
Vostre charette courbée
Attelez, divin troupeau,
L'honneur du double coupeau:
488 Et pour celebrer la feste,
Portant voz armes en teste
De couronnes etophez,
De vostre heureuse conqueste
492 Heureusement triomphez.

Je veux un arc elever
Sur deux colomnes Doriques,
Pour vostre gloire y graver
496 En cent moulures antiques.
La, diront mile cantiques
Les jeunes, qui ont choisi
Le thesor presque moisi
500 De la vieille Poësie,
D'une honneste jalousie
Enflammez par la saveur
Qui distile en l'Ambrosie
504 De la royale faveur.

En ton nectar adouci,
Muse, enyvre ton eponge,
Pour desaigrir le souci

508 Qui la poitrine me ronge.
Retien l'ame qui se plonge
Au goufre tempestueux
Du Palais tumultueux.
512 Encre icy ma nef captive,
Affin que dessus ta rive
Dedans ton temple immortel
Des rameaux de mon OLIVE
516 J'encourtine ton autel.

XXVII. DESCRIPTION DE LA CORNE D'ABONDANCE
PRESENTÉE A VNE MOMMERIE

Acheloys, cet amoureux fleuve,
Se faisant taureau mugissant,
Contre Hercule au combat se treuve,
4 Mais à son dam il fist epreuve
De l'ennemy le plus puissant.

De cornes sa teste embellie
De l'une eut le front desarmé.
8 Les Naiades l'ont recuillie
Et des plus beaux thesors remplie,
Dont le cours de l'an soit semé.

La sont les vermeillettes roses,
12 Des lys la royalle blancheur,
La les œillez, la sont encloses
Mile marguerites decloses
A la matinale frescheur.

16 La est la pomme colorée,
La est le citron verdissant,
La est l'olive tant honnorée,
La l'orange jaune dorée,
20 La le beau grenad rougissant.

La riche pomme enluminée
Prix de la plus belle des trois,
De ce cor soit exterminée.
24 Trop dure fut sa destinée,
Qui fut la mort de tant de Rois.

Celles par qui la Cyprienne
D'Atalante tarda le cours,
28   Soient dedans cete corne mienne,
Et face Amour qu'il m'en avienne
Contre vous semblable secours.

Ces fleurs je voüe à la plus belle.
32   Mon œil la void, mon cœur la sent:
Mais je ne diray le nom d'elle.
Chacune se peult juger telle,
Puis qu'à toutes j'en fay present.

36   De mile autres icy cachées
Les champs de Cypre sont fourniz.
Pour vous y furent arrachées
Celles qui sont du sang tachées
40   D'Hyacint', Narcisse, Adonis.

Venus, qui congnoist voz merites,
En son verger les fist cuillir
Par les mains de ses trois Carites:
44   Ses faveurs ne sont pas petites,
Veillez en gré les recuillir.

La riche corne florissante,
Je la compare à voz valeurs.
48   La fleur des ans est perissante,
Et puis la saison ravissante
Palist les vermeilles couleurs.

Les fruitz, qui les beautez nourissent,
52   Ne laissez en l'arbre seicher.
Cuillir les fault, quand ilz meurissent:
Aussi sans meurir ilz flétrissent,
S'on les veult trop verds arracher.

ŒVVRES DE L'INVENTION DE L'AVTHEVR

(February 1552)

XXVIII

LA COMPLAINTE DV DESESPERÉ

Qui prestera la parolle
A la douleur qui m'afolle?
Qui donnera les accens
4 A la plainte qui me guyde?
Et qui laschera la bride
A la fureur que je sens?

Qui baillera double force
8 A mon ame, qui s'efforce
De soupirer mes douleurs?
Et qui fera sur ma face
D'une larmoyante trace
12 Couler deux ruysseaux de pleurs?

Sus, mon cœur, ouvre ta porte,
Affin que de mes yeux sorte
Une mer à ceste foys.
16 Ores fault que tu te plaignes,
Et qu'en tes larmes tu baignes
Ces montaignes & ces boys.

Et vous mes vers, dont la course
20 A de sa premiere sourse
Les sentiers habandonnez,
Fuyez à bride avalée,
Et la prochaine valée
24 De vostre bruyt estonnez.

Vostre eau, qui fut clere & lente,
Ores trouble & violente,

Semblable à ma douleur soit,
28   Et plus ne meslez vostre onde
A l'or de l'arene blonde,
Dont vostre fond jaunissoit.

Mais qui sera la premiere?
32   Mais qui sera la derniere
De vos plaintes? O bons dieux!
La furie qui me domte,
Las, je sens qu'elle surmonte
36   Ma voix, ma langue & mes yeux.

. . . .

Ainsi que la fleur cuillie
56   Ou par la Bize assaillie
Pert le vermeil de son teinct,
En la fleur du plus doulx âage
De mon palissant visage
60   La vive couleur s'esteinct.

Une languissante nuë
Me sille desja la vëue,
Et me souvient en mourant
64   Des doulces rives de Loyre,
Qui les chansons de ma gloyre
Alloit jadis murmurant:

Alors que parmy la France
68   Du beau Cygne de Florence
J'alloys adorant les pas,
Dont les plumes j'ay tirées,
Qui des ailes mal cirées
72   Le vol n'imiteront pas.

Quel boys, quelle solitude,
Tesmoing de l'ingratitude
De l'archer malicieux,
76   Ne resonne les alarmes
Que les amoureuses larmes
Font aux espris ocieux?

Les bledz ayment la rousée,
80 Dont la plaine est arrousée:
La vigne ayme les chaleurs,
Les abeilles les fleurettes,
Et les vaines amourettes
84 Les complaintes & les pleurs.

Mais la douleur vehemente,
Qui maintenant me tormente,
A repoussé loing de moy
88 Telle fureur insensée,
Pour enter en ma pensée
Le trait d'un plus juste esmoy.

Arriere, plaintes frivoles
92 D'ung tas de jeunesses folles.
Vous, ardens soupirs encloz,
Laissez ma poictrine cuyte,
Et traynez à vostre suyte
96 Mile tragiques sangloz.

Si l'injure desriglée
De la fortune aveuglée,
Si ung faulx bon-heur promis
100 Par les faveurs journalieres,
Si les fraudes familieres
Des trop courtizans amis,

Si la maison mal entiere
104 De cent procez heritiere,
Telle qu'on la peut nommer
La gallere desarmée,
Qui sans guide & mal ramée
108 Vogue par la haulte mer:

Si les passions cuyzantes
A l'ame & au corps nuyzantes,
Si le plus contraire effort
112 D'une fiere destinée,
Si une vie obstinée
Contre ung desir de la mort:

Si la triste congnoissance
116   De nostre fresle naissance,
Et si quelque autre douleur
Geynne la vie de l'homme,
Je merite qu'on me nomme
120   L'esclave de tout malheur.

Qu'ay-je depuis mon enfance
Sinon toute injuste offence
Senty de mes plus prochains?
124   Qui ma jeunesse passée
Aux tenebres ont laissée
Dont ores mes yeux sont plains.

Et depuis que l'âge ferme
128   A touché le premier terme
De mes ans plus vigoreux,
Las, helas, quelle journée
Feut onq' si mal fortunée
132   Que mes jours les plus heureux?

Mes oz, mes nerfz & mes veines,
Tesmoins secrez de mes peines,
Et mile souciz cuyzans
136   Avancent de ma vieillesse
Le triste hyver, qui me blesse
Devant l'esté de mes ans.

Comme l'autonne saccage
140   Les verdz cheveux du boccage
A son triste advenement,
Ainsi peu à peu s'efface
Le crespe honneur de ma face
144   Veufve de son ornement.

Mon cœur ja devenu marbre
En la souche d'ung vieil arbre
A tous mes sens transmuez:
148   Et le soing, qui me desrobe,
Me faict semblable à Niobe
Voyant ses enfans tuez.

. . . .

D'une entre-suyvante fuyte
Il adjourne & puys annuyte:
L'an d'ung mutuel retour
232 Ses quatre saisons rameine:
Et apres la lune pleine
Le croissant luist à son tour.

Tout ce que le ciel entourne,
236 Fuyt, refuyt, tourne & retourne,
Comme les flotz blanchissans,
Que la mer venteuse pousse,
Alors qu'elle se courrousse
240 Contre ses bords gemissans.

Chacune chose decline
Au lieu de son origine:
Et l'an, qui est coustumier
244 De faire mourir & naistre,
Ce qui feut rien, avant qu'estre,
Reduict à son rien premier.

Mais la tristesse profonde,
248 Qui d'ung pié ferme se fonde
Au plus secret de mon cœur,
Seule immuable demeure,
Et contre moy d'heure en heure
252 Acquiert nouvelle vigueur.

. . . .
Combien (si nous estions sages)
Se demonstrent de presages,
Avant-coureurs de noz maulx?
376 Soit par injure celeste,
Par quelque perte moleste,
Ou par mort des animaulx.

Mais la pensée des hommes,
380 Pendant que vivans nous sommes,
Ignore le sort humain:
La divine prescience
Par certaine experience
384 Le tient cloz dedans sa main.

Seroit-point determinée
Quelque vieille destinée
Contre les espriz sacrez?
388 Mile, qui dessus Parnaze
Beurent de l'eau de Pegaze,
Ont faict semblables regiez.

. . . .

Divine majesté haulte,
D'ou me viennent, sans ma faulte,
Tant de remors furieux?
472 O malheureuse innocence,
Sur qui ont tant de licence
Les astres injurieux!

Heureuse la creature
476 Qui a fait sa sepulture
Dans le ventre maternel!
Heureux celuy dont la vie
En sortant s'est veu ravie
480 Par un sommeil eternel!

Il n'a senty sur sa teste
L'inevitable tempeste
Dont nous sommes agitez,
484 Mais asseuré du naufraige
De bien loing sur le rivaige
A veu les flotz irritez.

Sus, mon ame, tourne arriere,
488 Et borne icy la carriere
De tes ingrates douleurs.
Il est temps de faire espreuve,
Si apres la mort on treuve
492 La fin de tant de malheurs.

Ma vie desesperée
A la mort deliberée
Ja-desja se sent courir.
496 Meure donques, meure, meure,
Celuy, qui vivant demeure,
Mourant sans pouvoir mourir.

Ainsi le Devin d'Adraste,
500 Qui pour le filz d'Iöcaste
Encontre Thebes s'arma,
S'eslançoit de grand'audace
Dedans l'horrible crevace,
504 Qui sur luy se referma.

Vous, à qui des durs allarmes
Arracheront quelques larmes,
Soyez joyeux en tout temps,
508 Ayez le ciel favorable,
Et plus que moy, miserable,
Vivez heureux & contens.

XXIX. LA LYRE CHRESTIENNE

Moy cestuy la, qui tant de fois
Ay chanté la Muse charnelle,
Maintenant je haulse ma vois
4 Pour sonner la Muse eternelle.
De ceulx là qui n'ont part en elle,
L'applaudissement je n'attens :
Jadis ma folie estoit telle,
8 Mais toutes choses ont leur temps.

Si les vieux Grecz & les Romains
Des faux Dieux ont chanté la gloire,
Seron' nous plus qu'eulx inhumains,
12 Taisant du vray Dieu la memoire ?
D'Helicon la fable notoire
Ne nous enseigne à le vanter :
De l'onde vive il nous fault boyre,
16 Qui seule inspire à bien chanter.

Chasse toute divinité
(Dict le Seigneur) devant la mienne :
Et nous chantons la vanité
20 De l'idolatrie ancienne.
Par toy, ô terre Egyptienne!
Mere de tous ces petiz Dieux,
Les vers de la Lyre Chrestienne
24 Nous semblent peu melodieux.

E

Jadis le fameux inventeur
De la doctrine Academique
Chassoit le poëte menteur
28   Par les loix de sa republique.
Ou est donq' l'esprit tant cynique,
Qui ose donner quelque lieu
Aux chansons de la Lyre ethnique,
32   En la republique de Dieu?

Si nostre Muse n'estoit point
De tant de vanitez coyfée,
La saincte voix, qui les cœurs poingt,
36   Ne seroit par nous estoufée.
Ainsi la grand' troppe echaufée
Avec son vineux Evöé
Estrangloit les chansons d'Orphée
40   Au son du cornet enröué.

Cestuy là qui dict que ces vers
Gastent le naïf de mon style,
Il a l'estomac de travers,
44   Preferant le doulx à l'utile:
La plaine heureusement fertile,
Bien qu'elle soit veufve de fleurs,
Vault mieulx que le champ inutile
48   Emaillé de mile couleurs.

Si nous voulons emmïeller
Noz chansons de fleurs poëtiques,
Qui nous gardera de mesler
52   Telles doulceurs en noz cantiques?
Convertissant à noz pratiques
Les biens trop long temps occupez
Par les faulx possesseurs antiques,
56   Qui sur nous les ont usurpez.

D'Israël le peuple ancien
Affranchi du cruel service,
Du riche meuble Egyptien
60   Fist à Dieu plaisant sacrifice:
Et pour embellir l'edifice

Que Dieu se faisoit eriger,
Salomon n'estima pas vice
64   De mandier l'or estranger.

Nous donques faisons tout ainsi:
Et comme bien rusez gendarmes,
Des Grecz & des Romains aussi
68   Prenons les bouclers & guyzarmes:
L'ennemy baillera les armes
Dont luy mesme' sera batu.
Telle fraude au faict des alarmes
72   Merite le nom de vertu.

O fol, qui chante les honneurs
De ces faulx Dieux! ou qui s'amuse
A farder le loz des seigneurs
76   Plus aimez qu'amys de la Muse.
C'est pourquoy la mienne refuse
De manïer le luc vanteur.
L'espoir des princes nous abuse,
80   Mais nostre Dieu n'est point menteur.

.   .   .   .

Bien heureux donques est celuy
Qui a fondé son asseurance
Aux choses dont le ferme appuy
108   Ne desment point son esperance.
C'est luy que nulle violence.
Peult esbranler, tant seulemen,
Sï bien il se contreballence
112   En tous ses faictz egalement.

Celuy encor' ne cherche pas
La gloire, que le temps consomme:
Saichant que rien n'est icy bas
116   Immortel, que l'esprit de l'homme.
Et puis le poëte se nomme
Ores cigne melodieux,
Or' immortel & divin, comme
120   S'il estoit compaignon des Dieux.

Quand j'oy les Muses cacqueter,
Enflant leurs motz d'ung vain langage,
Il me semble ouyr cracqueter

124   Ung perroquet dedans sa cage:
       Mais ces folz qui leur font hommage,
       Amorçez de vaines doulceurs,
       Ne peuvent sentir le dommage
128   Que traynent ces mignardes Sœurs.

       .   .   .   .

       Sus donques, oubliez, ma dextre,
       De ceste Lyre les vieux sons,
       Affin que vous soyez adextre
160   A sonner plus haultes chansons.

       Mais (ô Seigneur) si tu ne tens
       Les nerfz de ma harpe nouvelle,
       C'est bien en vain que je pretens
164   D'accorder ton loz dessus elle.
       Que si tu veulx luy prester l'aisle,
       Alors d'ung vol audacieux,
       Cryant ta louange immortelle,
168   Je voleray jusques aux cieux.

       Le luc je ne demande pas,
       Dont les filles de la Memoire
       Apres les Phlegrëans combas
172   Sonnerent des Dieux la victoire.
       Desormais sur les bordz de Loyre
       Imitant le sainct pouce Hebrieu,
       Mes doigtz fredonneront la gloire
176   De celuy qui est trois fois Dieu.

XXX

DISCOVRS SUR LA LOVANGE DE LA VERTV & SVR LES DIVERS ERREVRS DES HOMMES

A SALM. MACRIN

       Bien que ma Muse petite
       Ce doulx-utile n'immite
       Qui si doctement escrit,
4   Ayant premier en la France
       Contre la saige ignorance
       Faict renaistre Democrit:

Pourtant, Macrin, ne te fasche
8 Si la bride ung peu je lasche
Au soing qui l'esprit me rompt:
Et se pour t'aider à rire,
J'ay entrepris de t'escrire,
12 Pour me derider le front.

La felicité non faulse,
L'eschelle qui nous surhaulse
Par degrez jusques aux cieux,
16 N'est-ce pas la vertu seule,
Qui nous tire de la gueule
De l'Orque avaricieux?

L'homme vertueux est riche:
20 Si sa terre tumbe en friche,
Il en porte peu d'ennuy:
Car la plus grande richesse
Dont les Dieux luy font largesse
24 Est tousjours avecques luy.

Il est noble, il est illustre:
Et si n'emprunte son lustre
D'une vitre, ou d'ung tumbeau,
28 Ou d'une image enfumée
Dont la face consumée
Rechigne dans ung tableau.

S'il n'est duc, ou s'il n'est prince
32 D'une & d'une autre province,
Si est-il roy de son cœur:
Et de son cœur estre maistre,
C'est plus grand' chose que d'estre
36 De tout le monde vainqueur.

Si les mains de la nature
Toute sa linëature
N'ont mignardé proprement,
40 Si en est l'esprit aymable:
Et qui est plus estimable,
Le corps ou l'accoustrement?

La richesse naturelle,
44   C'est la santé corporelle:
Mais si le ciel est donneur
D'une ame saine & lavée
De toute humeur depravée,
48   C'est le comble du bonheur.

Que me sert la docte escolle
De Platon, ou que j'accolle
Tout cela que maintenoit
52   Le grand Peripatetique,
Ou tout ce qu'en son portique
Zenon jadis soustenoit:

Si l'ignorant & pauvre homme
56   Tout ce que vertu on nomme
Garde precieusement,
Pandant que monsieur le sage,
Qui n'a vertu qu'au visage,
60   En parle ocieusement?

Que me sert-il que j'embrasse
Petrarque, Vergile, Horace,
Ovide, & tant de secrez,
64   Tant de Dieux, tant de miracles,
Tant de monstres & d'oracles
Que nous ont forgé les Grecz:

Si pandant que ces beaux songes
68   M'apastent de leurs mensonges,
L'an, qui retourne souvent,
Sur ses ailes empennées
De mes meilleures années,
72   M'enporte avecques le vent?

Que me sert la thëorique
Du nombre Pythagorique:
Ung rond, une ligne, ung poinct:
76   Le pinceter d'une chorde,
Ou sçavoir quel ton accorde
Et quel ton n'accorde point:

80   Que me sert voir tout le monde
    En papier, ou je me fonde
    A l'arpanter pas à pas :
    Si en mon cœur je n'eu' onques
    Mesure ou nombre quelquonques,
84   Accord, reigle ny compas ?

    Que me sert l'architecture,
    La perspective & peincture,
    Ou au mouvement des cieux
88   Contempler les choses haultes,
    Si pour congnoistre mes faultes
    Je ne me voy que des yeux ?

    Que sert une longue barbe,
92   Ung clystere, une reubarbe,
    Pour me faire vertueux ?
    Ou une langue sçavante,
    Ou une loy mise en vante
96   Au barreau tumultueux ?

    Que me sert-il que je vole
    De l'ung jusqu'à l'autre pole,
    Si je porte bien souvent
100   La peur & la mort en pouppe,
    Avecques l'horrible trouppe
    Des ondes grosses du vent ?

    Que me sert que je m'ottroye
104   Pour quelque petite proye
    Au sort douteux des combaz,
    Si la fortune crüelle
    Et la mort continüelle
108   Me talonnent pas à pas ?

    Que me sert-il que je suyve
    Les princes, & que je vive
    Aveugle, müet & sourd,
112   Si apres tant de services
    Je n'y gaigne que les vices
    Et les bons jours de la court ?

C'est une divine ruze
116   De bien forger une excuze,
        Et en subtil artizan,
        Soit qu'on parle ou qu'on chemine,
        Contrefaire bien la myne
120   D'ung vieil singe courtizan.

        C'est une loüable envie
        A ceux qui toute leur vie
        Veulent demourer oyzeux,
124   D'ung nouveau ne faire conte,
        Et pour garder qu'il ne monte,
        Tirer l'eschelle apres eulx.

        .   .   .   .

        C'est une heureuse poursuytte,
140   Estre dix ans à la suyte
        D'ung benefice empestré:
        Et puis pour toute resourse
        Vider & proces & bourse
144   Par ung arrest non chastré.

        C'est une belle science,
        Pour faire une experience
        Avant qu'estre vieil routier,
148   Par la mort guerir les hommes,
        Et puis dire que nous sommes
        Des plus sçavans du mestier.

        C'est ung vertueux office,
152   Avoir pour son exercice
        Force oyzeaux & force aboys,
        Et en meutes bien courantes
        Clabauder toutes ses rentes
156   Par les champs & par les boys.

        C'est une chose divine,
        Qu'une femme ou sotte ou fine.
        C'est encor' ung heureux poinct
160   De l'avoir pauvre & fœconde:
        Puis monstrer à tout le monde
        Les cornes qu'on ne void point.

C'est ung heureux advantage,
164   Qu'ung alambic en partage,
Ung fourneau Mercurien:
Et de toute sa sustance
Tirant une quinte essence,
168   Multiplier tout en rien.

C'est une chose fort grave,
Estre magnifique & brave:
Et sans y espargner Dieu,
172   S'obliger en beau langage:
Et puis mettre tout en gage
Pour enrichir sainct Matthieu.

C'est une chose noble, que d'estre
176   En lice, en carriere adextre,
Soit de nuict ou soit de jour:
Bon au bal, bon à l'escrime:
Puis d'ung luc & d'une ryme
180   Trionfer dessus l'amour.

Ce sont beaux motz, que *bravade,*
Soldat, cargue, camyzade,
Avec' ung brave *san-dieu*:
184   Trois beaux detz, une querelle,
Et puis une maquerelle,
C'est pour faire ung Demy-dieu.

Ce sont choses fort aigües,
188   Par sentences ambigües
Philosopher haultement:
Et voyant que la fortune
Ne nous veult estre opportune,
192   Nous feindre ung contentement.

Quel estat doy' je donq' suyvre,
Pour vertueusement vivre?
Je ne parle desormais
196   Du courtizan ou agreste:
Car c'est la fable d'Oreste,
Qui ne s'acheve jamais.

Le tonneau Dïogenique,
200   Le gros sourcy Zenonique,
Et l'ennemy de ses yeux,
Cela ne me deïfie:
La gaye philosophie
204   D'Aristippe me plaist mieulx.

Celuy en vain se travaille,
Soit en terre ou soit qu'il aille
Où court l'avare marchant,
208   Qui fasché de sa presence,
Pour trouver la suffisence,
Hors de soy la va cherchant.

Macrin, pandant qu'à Ivrée
212   Dessus ta lyre enyvrée
Du nectar Aönien,
Tu refredones la gloire,
Qui consacre à la memoire
216   Ton Mecenas & le mien:

Ma Muse, qui se pourmeine
Par Anjou & par le Meine,
A faict ce discours plaisant:
220   Ryant les erreurs du monde,
Ou en raison je me fonde,
Le sage contrefaisant.

XIII SONNETZ DE L'HONNESTE AMOVR

(February 1552)

XXXI

Ce ne sont pas ces beaux cheveux dorez,
Ny ce beau front, qui l'honneur mesme honnore,
Ce ne sont pas les deux archets encore'
4   De ces beaux yeux de cent yeux adorez:

Ce ne sont pas les deux brins colorez
De ce coral, ces levres que j'adore,
Ce n'est ce teinct emprunté de l'Aurore,
8   Ny autre object des cœurs enamourez:

Ce ne sont pas ny les lyz, ny ces rozes,
Ny ces deux rancz de perles si bien closes,
C'est cet esprit, rare present des cieux,

12   Dont la beauté de cent graces pourvëue
Perce mon ame & mon cœur & mes yeux
Par les rayons de sa poignante vëue.

XXXII

J'ay entassé moimesme' tout le bois,
Pour allumer celle flâme immortelle,
Par qui mon âme, avecques plus haulte aile
4   Se guinde au ciel, d'ung egal contre-pois.

Ja mon esprit, ja mon cœur, ja ma vois,
Ja mon amour conçoit forme nouvelle
D'une beauté plus parfaictement belle
8   Que le fin or epuré par sept fois.

Rien de mortel ma langue plus ne sonne:
Ja peu à peu moimesme' j'abandonne,
Par cete ardeur, qui me faict sembler tel

12   Que se monstroit l'indomté filz d'Alcméne,
Qui dedaignant nostre figure huméne,
Brula son corps, pour se rendre immortel.

47

RECVEIL DE POËSIE

(Second edition, 1553)

XXXIII. A VNE DAME

J'ay oublié l'art de petrarquizer.
Je veulx d'amour franchement deviser
Sans vous flater, & sans me deguiser.
4   Ceulx qui font tant de plaintes
N'ont pas le quart d'une vraye amytié,
Et n'ont pas tant de peine la moitié,
Comme leurs yeulx, pour vous faire pitié,
8   Getent de larmes faintes.

Ce n'est que feu de leurs froides chaleurs,
Ce n'est qu'horreur de leurs feinctes douleurs,
Ce n'est encor' de leurs souspirs & pleurs
12   Que vents, pluye & oraiges.
Et bref, ce n'est, à ouyr leurs chansons,
De leurs amours que flammes & glaçons,
Flesches, lyens, & mile autres façons
16   De semblables oultraiges.

De voz beautez, ce n'est que tout fin or,
Perles, crystal, marbre, & ivoyre encor',
Et tout l'honneur de l'Indique thresor,
20   Fleurs, lys, œilletz & roses.
De voz doulceurs, ce n'est que sucre et miel,
De voz rigueurs n'est qu'aloës & fiel,
De voz espris, c'est tout ce que le ciel
24   Tient de graces encloses.

Puis tout soudain ils vous font mile tors,
Disans, que voir voz blonds cheveux retors,
Vos yeux archers, autheurs de mile mors,
28   Et la forme excellente
De ce que peult l'accoustrement couver,
Dyane en l'onde il vauldroit mieulx trouver,
Ou voir Meduse, ou au cours s'esprouver
32   Avecques Athalante.

Tout l'orient, avec' toutes les fleurs
Dont le printemps bigarre ses couleurs,
Ne fourniroient à peindre voz valeurs,
36   Ny le cor d'Amalthée.
De leur largesse, ici je n'en dy rien:
Aussi l'amour, qui est souverain bien,
Par les presens d'un avoir terrien
40   Ne peult estre achetée.

S'il fault parler de vostre jour natal,
Vostre ascendant heureusement fatal
De vostre chef escarta tout le mal
44   Qui aux humains peult nuyre.
Quant au trespas, sçavous quand ce sera
Que vostre esprit le monde laissera?
Ce sera lors que là hault on voirra
48   Un nouvel Astre luyre.

Ce n'est assez à leur subtil parler
Ou *ma maistresse* ou *madame* appeller,
Cela est trop voz beautez r'avaler,
52   Pour oindre voz oreilles.
Ce mot, *Deesse*, est beaucoup mieulx duysant,
Mais je ne puis, tant je suis mal plaisant,
User ainsi en me contrefaisant
56   De ces faulses merveilles.

Si pour sembler autre que je ne suis,
Je me plaisois à masquer mes ennuis,
J'irois au fond des eternelles nuictz
60   Plein d'horreur inhumaine.
Là d'un Sysiphe, & là d'un Ixion
J'esprouverois toute l'affliction,
Et de celui qui pour pugnition
64   Rid & meurt à sa peine.

De voz beautez, sçavous que j'en dirois?
De voz deux yeulx deux astres je ferois,
Voz blonds cheveulx en or je changerois,
68   Et voz mains en yvoire.
Quand est du teinct, je le peindrois trop mieulx

Que le matin ne colore les cieulx:
Bref, vous seriez belle comme les Dieux,
72   Si vous me vouliez croire.

Mais cet enfer de vaines passions,
Ce paradis de belles fictions,
Deguisement de noz affections,
76   Ce sont peinctures vaines:
Qui donnent plus de plaisir aux lisans
Que voz beautez à tous voz courtisans,
Et qu'au plus fol de tous ces biendisans
80   Vous ne donnez de peines.

Il n'y a roc qui n'entende leur vois,
Leurs piteux cris ont faict cent mile fois
Pleurer les monts, les plaines & les bois,
84   Les antres & fontaines.
Bref, il n'y a ny solitaires lieux,
Ny lieux hantez, voire mesmes les cieux,
Qui çà & là ne monstrent à leurs yeux
88   L'image de leurs peines.

Cestuy là porte en son cœur fluctueux
De l'ocean les flotz tumultueux,
Cestuy l'horreur des ventz impetueux
92   Sortans de leur caverne.
L'un d'un Caucase & Montgibel se plaingt,
L'autre en veillant plus de songes se peinct,
Qu'il n'en feut onq' en cet orme qu'on feinct
96   En la fosse d'Averne.

Ores luy semble estre arbre devenu,
Ores un mont de nege tout chenu,
Ores l'oyzeau en Meandre congneu,
100   Ore' il se faict accroire
Sentir ses nerfz tiedement languissans,
Entre voz bras les siens entrelaçans,
Mais tout cela sont des songes passans
104   Par la porte d'ivoyre.

L'un contrefait ce Tantale mourant
De soif, qu'il a au milieu d'un torrent,
L'autre qui paist un aigle devorant

108   S'accoustre en Promethée,
Mais cestui la, par un plus chaste vœu,
En se bruslant veult Hercule estre veu,
L'autre se mue en eau, air, terre & feu,
112   Comme un second Prothée.

L'un meurt de froid, & l'autre meurt de chault,
L'un vole bas, & l'autre vole hault,
L'un est chetif, l'autre a ce qu'il luy fault,
116   L'un sur l'esprit se fonde,
L'autre s'arreste à la beauté du corps:
On ne veid onq' si terribles discords
En ce Caos, qui troubloit les accords
120   Dont fut basty le monde.

Quelque autre apres, ayant subtilement
Trouvé l'accord de chascun element,
Façonne un rond tendant egalement
124   Au centre de son ame.
Son firmament est peint sur un beau front,
Tous ses espriz sont balancez en rond,
Son pol artiq' & antartiq', ce sont
128   Les beaux yeux de sa dame.

Quelqu'autre encor' la terre dedaignant
Va du tiers ciel les secretz enseignant,
Et de l'amour ou il se va baignant,
132   Tire une quinte essence:
Mais quant à moy, qui plus terrestre suis,
Et n'aime rien, que ce qu'aimer je puis,
Le plus subtil, qu'en amour je poursuis,
136   S'appelle jouyssance.

Cestui voulant plus simplement aimer
Veult un Properce & Ovide exprimer,
Et vouldroit bien encor' se transformer
140   En l'esprit d'un Tibulle.
Mais cestui la, comme un Petrarque ardent,
Va son amour & son style fardant,
Cet autre encor' va le sien mignardant
144   Comme un autre Catulle.

Je ne veulx point scavoir si l'amitié
Prist du facteur, qui jadis eut pitié,
Du pauvre tout fendu par la moitié,
148　　　Sa celeste origine.
Vous souhaiter autant de bien qu'à moy,
Vous estimer autant comme je doy,
Avoir de vous le loyer de ma foy,
152　　　Voila mon Androgine.

Noz bons ayeux, qui cet art demenoient,
Pour en causer, Petrarque n'apprenoient,
Ains franchement leur dame entretenoient
156　　　Sans fard ou couverture.
Mais aussi tost qu'Amour s'est fait scavant,
Lui qui estoit François au paravant,
Est devenu menteur & decevant,
160　　　Et de Thusque nature.

Je scay qu'Amour est le subject des vers,
Et que sans luy tant d'escrivains divers
Ne voleroient si bien en l'univers
164　　　Par les bouches estranges.
Mais ces beautez, dont tant de bons espriz
Se vont plaignant avoir esté surpris,
Ne furent onq' vers eulx en si hault pris
168　　　Que chantent leurs louanges.

Voz beautez donq' leurs servent d'argumens,
Et ne leur fault de meilleurs instrumens
Pour les tirer tous vifz des monumens:
172　　　Aussi comme je pense,
Sans que plus fort vous les recompensez
De tant d'ennuiz mieulx escriz que pensez,
Amour les a de peine dispensez,
176　　　Et vous de recompense.

Je ry souvent, voyant pleurer ces foulx,
Qui mille fois vouldroient mourir pour vous,
Si vous croyez de leur parler si doulx
180　　　Le parjure artifice.
Mais quand à moy, sans feindre ny pleurer

Touchant ce point, je vous puis asseurer
Que je veulx sain & dispos demeurer
184   Pour vous faire service.

Si vous trouvez quelque importunité
En mon amour, qui vostre humanité
Prefere trop à la divinité
188   De vos graces cachées,
Changez ce corps, object de mon ennuy:
Alors je croy que de moy ny d'aultruy,
Quelque beauté que l'esprit ait en lui,
192   Vous ne serez cherchées.

Et qu'ainsi soit, quand les hyvers nuisans
Auront terni la fleur de voz beaux ans,
Rydé ce marbre, esteint ces feux luisans,
196   Quand vous verrez encore
Ces cheveux d'or en argent se changer
De ce beau seing l'yvoire s'allonger,
Ces lys fanir, & de vous s'estranger
200   Ce beau teinct de l'Aurore:

Qui pensez vous qui vous aille chercher,
Qui vous adore, ou qui daigne toucher
Ce corps divin, que vous tenez tant cher?
204   Vostre beauté passée
Ressemblera un jardin à nos yeux,
Riant n'aguere aux hommes & aux Dieux,
Ores faschant de son regard les cieulx
208   Et l'humaine pensée.

N'attendez donq' que la grand' faulx du temps
Moissonne ainsi la fleur de voz printemps,
Qui rend les Dieux & les hommes contens:
212   Les ans, qui peu sejournent,
Ne laissent rien, que regretz & souspirs,
Et empennez de noz meilleurs desirs,
Avecques eulx emportent noz plaisirs,
216   Qui jamais ne retournent.

Pour faire fin, je vous prie excuser
Mon amitié, qui ne peult abuser,
Et mon esprit, qui ne sçauroit user

F

220   De plus belle harangue:
        Puis que voz yeulx appris à decevoir
        De ma parole empeschent le devoir,
        Et que les miens esblouys de les voir
224   Font office de langue.

        Si je n'ay peints mes ennuys sur le front,
        Et les assaulx que vos beautez me font,
        Ilz sont pourtant gravez [au] plus profond
228   De ma volunté franche:
        Non comme un tas de vains admirateurs,
        Qui font souvent par leurs souspirs menteurs
        Et par leurs vers honteusement flateurs
232   Rougir la carte blanche.

        Desormais donq' (Amour) si tu m'en croys,
        Adresse là ton petit arc Turquois,
        Tes petitz traicts, & ton petit carquois,
236   Et telles mignardises:
        Presente les à la legere foy
        D'un plus sçavant, mais moins aimant que moy,
        Qui n'ait jamais rien esprouvé de toy,
240   Que ces belles faintises.

        Si toutesfois tel style vous plaist mieulx,
        Je reprendray mon chant melodieux,
        Et voleray jusqu'au sejour des Dieux
244   D'une aisle mieux guidée.
        Là dans le seing de leurs divinitez
        Je choisiray cent mile nouveautez,
        Dont je peindray voz plus grandes beautez
248   Sur la plus belle Idée.

LES ANTIQVITEZ DE ROME

(March 1558)

XXXIV

Nouveau venu, qui cherches Rome en Rome
Et rien de Rome en Rome n'apperçois,
Ces vieux palais, ces vieux arcz que tu vois,
4   Et ces vieux murs, c'est ce que Rome on nomme.

Voy quel orgueil, quelle ruine: & comme
Celle qui mist le monde sous ses loix,
Pour donter tout, se donta quelquefois,
8   Et devint proye au temps, qui tout consomme.

Rome de Rome est le seul monument,
Et Rome Rome a vaincu seulement.
Le Tybre seul, qui vers la mer s'enfuit,

12   Reste de Rome. O mondaine inconstance!
Ce qui est ferme, est par le temps destruit,
Et ce qui fuit, au temps fait resistance.

XXXV

Telle que dans son char la Berecynthienne
Couronnee de tours, & joyeuse d'avoir
Enfanté tant de Dieux, telle se faisoit voir
4   En ses jours plus heureux ceste ville ancienne:

Ceste ville, qui fut plus que la Phrygienne
Foisonnante en enfans, & de qui le pouvoir
Fut le pouvoir du monde, & ne se peult revoir
8   Pareille à sa grandeur, grandeur sinon la sienne.

Rome seule pouvoit à Rome ressembler,
Rome seule pouvoit Rome faire trembler:
Aussi n'avoit permis l'ordonnance fatale

12 Qu'autre pouvoir humain, tant fust audacieux,
    Se vantast d'égaler celle qui fit égale
    Sa puissance à la terre & son courage aux cieux.

XXXVI

    Ny la fureur de la flamme enragee,
    Ny le trenchant du fer victorieux,
    Ny le degast du soldat furieux,
4   Qui tant de fois (Rome) t'a saccagee,

    Ny coup sur coup ta fortune changee,
    Ny le ronger des siecles envieux,
    Ny le despit des hommes & des Dieux,
8   Ny contre toy ta puissance rangee,

    Ny l'esbranler des vents impetueux,
    Ny le débord de ce Dieu tortueux,
    Qui tant de fois t'a couvert de son onde,

12 Ont tellement ton orgueil abbaissé,
    Que la grandeur du rien qu'ilz t'ont laissé
    Ne face encor' emerveiller le monde.

XXXVII

    Comme on passe en æsté le torrent sans danger,
    Qui souloit en hyver estre roy de la plaine,
    Et ravir par les champs d'une fuite hautaine
4   L'espoir du laboureur & l'espoir du berger:

    Comme on void les coüards animaux oultrager
    Le courageux lyon gisant dessus l'arene,
    Ensanglanter leurs dents, & d'une audace vaine
8   Provoquer l'ennemy qui ne se peult venger:

    Et comme devant Troye on vid des Grecz encor
    Braver les moins vaillans autour du corps d'Hector:
    Ainsi ceulx qui jadis souloient, à teste basse,

12 Du triomphe Romain la gloire accompagner,
    Sur ces poudreux tumbeaux exercent leur audace,
    Et osent les vaincuz les vainqueurs desdaigner.

XXXVIII

Palles Esprits, & vous Umbres poudreuses,
Qui jouissant de la clarté du jour
Fistes sortir cest orgueilleux sejour,
4   Dont nous voyons les reliques cendreuses:

Dictes, Esprits (ainsi les tenebreuses
Rives de Styx non passable au retour,
Vous enlaçant d'un trois fois triple tour,
8   N'enferment point voz images umbreuses)

Dictes moy donc (car quelqu'une de vous
Possible encor se cache icy dessous)
Ne sentez vous augmenter vostre peine,

12   Quand quelquefois de ces costaux Romains
Vous contemplez l'ouvrage de voz mains
N'estre plus rien qu'une poudreuse plaine?

XXXIX

Ces grands monceaux pierreux, ces vieux murs que tu vois,
Furent premierement le cloz d'un lieu champestre:
Et ces braves palais, dont le temps s'est fait maistre,
4   Cassines de pasteurs ont esté quelquefois.

Lors prindrent les bergers les ornemens des Roys,
Et le dur laboureur de fer arma sa dextre:
Puis l'annuel pouvoir le plus grand se vid estre,
8   Et fut encor plus grand le pouvoir de six mois:

Qui, fait perpetuel, creut en telle puissance,
Que l'aigle Imperial de luy print sa naissance:
Mais le Ciel s'opposant à tel accroissement,

12   Mist ce pouvoir es mains du successeur de Pierre,
Qui sous nom de pasteur, fatal à ceste terre,
Monstre que tout retourne à son commencement.

SONGE OV VISION

XL

Je vy hault eslevé sur columnes d'ivoire,
Dont les bases estoient du plus riche metal,
A chapiteaux d'albastre & frizes de crystal,
4 Le double front d'un arc dressé pour la memoire.

A chaque face estoit protraicte une victoire,
Portant ailes au doz, avec habit nymphal,
Et hault assise y fut sur un char triomphal
8 Des Empereurs Romains la plus antique gloire.

L'ouvrage ne monstroit un artifice humain,
Mais sembloit estre fait de celle propre main
Qui forge en aguisant la paternelle foudre.

12 Las, je ne veulx plus voir rien de beau sous les cieux,
Puis qu'un œuvre si beau j'ay veu devant mes yeux
D'une soudaine cheute estre reduict en poudre.

LES REGRETS

(January 1558)

XLI. A MONSIEVR D'AVANSON

Si je n'ay plus la faveur de la Muse,
Et si mes vers se trouvent imparfaits,
Le lieu, le temps, l'aage ou je les ay faits,
4   Et mes ennuis leur serviront d'excuse.

J'estois à Rome au milieu de la guerre,
Sortant desja de l'aage plus dispos,
A mes travaux cherchant quelque repos,
8   Non pour louange ou pour faveur acquerre.

Ainsi void-on celuy qui sur la plaine
Picque le bœuf ou travaille au rampart
Se resjouir, & d'un vers fait sans art
12   S'esvertuer au travail de sa peine.

Celuy aussi, qui dessus la galere
Fait escumer les flots à l'environ,
Ses tristes chants accorde à l'aviron,
16   Pour esprouver la rame plus legere.

On dit qu'Achille, en remaschant son ire,
De tels plaisirs souloit s'entretenir,
Pour addoulcir le triste souvenir
20   De sa maistresse, aux fredons de sa lyre.

Ainsi flattoit le regret de la sienne
Perdue, helas, pour la seconde fois,
Cil qui jadis aux rochers & aux bois
24   Faisoit ouir sa harpe Thracienne.

La Muse ainsi me fait sur ce rivage,
Ou je languis banny de ma maison,
Passer l'ennuy de la triste saison,
28   Seule compagne à mon si long voyage.

La Muse seule au milieu des alarmes
Est asseuree & ne pallist de peur:
La Muse seule au milieu du labeur
32   Flatte la peine & desseiche les larmes.

D'elle je tiens le repos & la vie,
D'elle j'apprens à n'estre ambitieux,
D'elle je tiens les saincts presens des Dieux
36   Et le mespris de fortune & d'envie.

Aussi sçait-elle, ayant des mon enfance
Toujours guidé le cours de mon plaisir,
Que le devoir, non l'avare desir,
40   Si longuement me tient loing de la France.

Je voudrois bien (car pour suivre la Muse
J'ay sur mon doz chargé la pauvreté)
Ne m'estre au trac des neuf Sœurs arresté,
44   Pour aller voir la source de Meduse.

Mais que feray-je à fin d'eschapper d'elles?
Leur chant flatteur a trompé mes esprits,
Et les appaz aux quels elles m'ont pris
48   D'un doulx lien ont englué mes ailes.

Non autrement que d'une doulce force
D'Ulysse estoient les compagnons liez,
Et sans penser aux travaux oubliez
52   Aymoient le fruict qui leur servoit d'amorce.

Celuy qui a de l'amoureux breuvage
Gousté mal sain le poison doulx-amer,
Cognoit son mal, & contraint de l'aymer,
56   Suit le lien qui le tient en servage.

Pour ce me plaist la doulce poësie,
Et le doulx traict par qui je fus blessé:
Des le berceau la Muse m'a laissé
60   Cest aiguillon dedans la fantaisie.

Je suis content qu'on appelle folie
De noz esprits la saincte deité,
Mais ce n'est pas sans quelque utilité
64   Que telle erreur si doulcement nous lie.

Elle esblouit les yeulx de la pensee
Pour quelque fois ne voir nostre malheur,
Et d'un doulx charme enchante la douleur
68   Dont nuict & jour nostre ame est offensee.

Ainsi encor' la vineuse prestresse,
Qui de ses criz Ide va remplissant,
Ne sent le coup du thyrse la blessant,
72   Et je ne sents le malheur qui me presse.

Quelqu'un dira: De quoy servent ces plainctes?
Comme de l'arbre on void naistre le fruict,
Ainsi les fruicts que la douleur produict
76   Sont les souspirs & les larmes non feinctes.

De quelques mal un chascun se lamente,
Mais les moyens de plaindre sont divers:
J'ay, quant à moy, choisi celuy des vers
80   Pour desaigrir l'ennuy qui me tormente.

Et c'est pourquoy d'une doulce satyre
Entremeslant les espines aux fleurs,
Pour ne fascher le monde de mes pleurs,
84   J'appreste icy le plus souvent à rire.
. . . .

XLII

Je ne veulx point fouiller au sein de la nature,
Je ne veulx point chercher l'esprit de l'univers,
Je ne veulx point sonder les abysmes couvers,
4   Ny desseigner du ciel la belle architecture.

Je ne peins mes tableaux de si riche peinture,
Et si hauts argumens ne recherche à mes vers:
Mais suivant de ce lieu les accidents divers,
8   Soit de bien, soit de mal, j'escris à l'adventure.

Je me plains à mes vers, si j'ay quelque regret:
Je me ris avec eulx, je leur dy mon secret,
Comme estans de mon cœur les plus seurs secretaires.

12 Aussi ne veulx-je tant les pigner & friser,
    Et de plus braves noms ne les veulx deguiser
    Que de papiers journaux ou bien de commentaires.

XLIII

    Un plus sçavant que moy (Paschal) ira songer
    Aveques l'Ascrean dessus la double cyme:
    Et pour estre de ceulx dont on fait plus d'estime,
4   Dedans l'onde au cheval tout nud s'ira plonger.

    Quant à moy, je ne veulx, pour un vers allonger,
    M'accoursir le cerveau: ny pour polir ma ryme,
    Me consumer l'esprit d'une songneuse lime,
8   Frapper dessus ma table ou mes ongles ronger.

    Aussi veulx-je (Paschal) que ce que je compose
    Soit une prose en ryme ou une ryme en prose,
    Et ne veulx pour cela le laurier meriter.

12 Et peult estre que tel se pense bien habile,
    Qui trouvant de mes vers la ryme si facile,
    En vain travaillera, me voulant imiter.

XLIV

    Je ne veulx fueilleter les exemplaires Grecs,
    Je ne veulx retracer les beaux traicts d'un Horace,
    Et moins veulx-je imiter d'un Petrarque la grace,
4   Ou la voix d'un Ronsard, pour chanter mes Regrets.

    Ceulx qui sont de Phœbus vrais poëtes sacrez
    Animeront leurs vers d'une plus grand' audace:
    Moy, qui suis agité d'une fureur plus basse,
8   Je n'entre si avant en si profonds secretz.

    Je me contenteray de simplement escrire
    Ce que la passion seulement me fait dire,
    Sans rechercher ailleurs plus graves argumens.

12 Aussi n'ay-je entrepris d'imiter en ce livre
    Ceulx qui par leurs escripts se vantent de revivre
    Et se tirer tous vifz dehors des monumens.

XLV

Ceulx qui sont amoureux, leurs amours chanteront,
Ceulx qui ayment l'honneur, chanteront de la gloire,
Ceulx qui sont pres du Roy, publiront sa victoire,
4   Ceulx qui sont courtisans, leurs faveurs vanteront,

Ceulx qui ayment les arts, les sciences diront,
Ceulx qui sont vertueux, pour tels se feront croire,
Ceulx qui ayment le vin, deviseront de boire,
8   Ceulx qui sont de loisir, de fables escriront.

Ceulx qui sont mesdisans, se plairont à mesdire,
Ceulx qui sont moins fascheux, diront des mots pour rire,
Ceulx qui sont plus vaillans, vanteront leur valeur,

12   Ceulx qui se plaisent trop, chanteront leur louange,
Ceulx qui veulent flater, feront d'un diable un ange:
Moy, qui suis malheureux, je plaindray mon malheur.

XLVI

Las, ou est maintenant ce mespris de Fortune?
Ou est ce cœur vainqueur de toute adversité,
Cest honneste desir de l'immortalité,
4   Et ceste honneste flamme au peuple non commune?

Ou sont ces doulx plaisirs, qu'au soir soubs la nuict brune
Les Muses me donnoient, alors qu'en liberté
Dessus le verd tapy d'un rivage esquarté
8   Je les menois danser aux rayons de la Lune?

Maintenant la Fortune est maistresse de moy,
Et mon cœur, qui souloit estre maistre de soy,
Est serf de mille maux & regrets qui m'ennuyent.

12   De la posterité je n'ay plus de souci,
Ceste divine ardeur, je ne l'ay plus aussi,
Et les Muses de moy, comme estranges, s'enfuyent.

XLVII

France, mere des arts, des armes & des loix,
Tu m'as nourry long temps du laict de ta mamelle:
Ores, comme un aigneau qui sa nourrisse appelle,
4   Je remplis de ton nom les antres & les bois.

Si tu m'as pour enfant advoué quelquefois,
Que ne me respons-tu maintenant, ô cruelle?
France, France, respons à ma triste querelle.
8   Mais nul, sinon Echo, ne respond à ma voix.

Entre les loups cruels j'erre parmy la plaine,
Je sens venir l'hyver, de qui la froide haleine
D'une tremblante horreur fait herisser ma peau.

12   Las, tes autres aigneaux n'ont faute de pasture,
Ils ne craignent le loup, le vent ny la froidure:
Si ne suis-je pourtant le pire du troppeau.

XLVIII

Ce n'est le fleuve Thusque au superbe rivage,
Ce n'est l'air des Latins, ny le mont Palatin,
Qui ores (mon Ronsard) me fait parler Latin,
4   Changeant à l'estranger mon naturel langage.

C'est l'ennuy de me voir trois ans & d'avantage,
Ainsi qu'un Promethé, cloué sur l'Aventin,
Ou l'espoir miserable & mon cruel destin,
8   Non le joug amoureux, me detient en servage.

Et quoy (Ronsard) & quoy, si au bord estranger
Ovide osa sa langue en barbare changer
Afin d'estre entendu, qui me pourra reprendre

12   D'un change plus heureux? nul, puis que le François,
Quoy qu'au Grec & Romain egalé tu te sois,
Au rivage Latin ne se peult faire entendre.

XLIX

Panjas, veulx-tu sçavoir quels sont mes passetemps ?
Je songe au lendemain, j'ay soing de la despense
Qui se fait chacun jour, & si fault que je pense
4   A rendre sans argent cent crediteurs contents.

Je vays, je viens, je cours, je ne perds point le temps,
Je courtise un banquier, je prens argent d'avance:
Quand j'ay depesché l'un, un autre recommence,
8   Et ne fais pas le quart de ce que je pretends.

Qui me presente un compte, une lettre, un memoire,
Qui me dit que demain est jour de consistoire,
Qui me rompt le cerveau de cent propos divers,

12   Qui se plaint, qui se deult, qui murmure, qui crie:
Aveques tout cela, dy (Panjas) je te prie,
Ne t'esbahis-tu point comment je fais des vers ?

L

Ce pendant que Magny suit son grand Avanson,
Panjas son Cardinal, & moy le mien encore,
Et que l'espoir flateur, qui noz beaux ans devore,
4   Appaste noz desirs d'un friand hamesson,

Tu courtises les Roys, & d'un plus heureux son
Chantant l'heur de Henry, qui son siecle decore,
Tu t'honores toymesme, & celuy qui honore
8   L'honneur que tu luy fais par ta docte chanson.

Las, & nous ce pendant nous consumons nostre aage
Sur le bord incogneu d'un estrange rivage,
Ou le malheur nous fait ces tristes vers chanter:

12   Comme on void quelquefois, quand la mort les appelle,
Arrangez flanc à flanc parmy l'herbe nouvelle,
Bien loing sur un estang trois cygnes lamenter.

LI

Apres avoir long temps erré sur le rivage
Ou lon voit lamenter tant de chetifs de Court,
Tu as attaint le bord ou tout le monde court,
4   Fuyant de pauvreté le penible servage.

Nous autres ce pendant, le long de ceste plage,
En vain tendons les mains vers le Nautonnier sourd,
Qui nous chasse bien loing: car, pour le faire court,
8   Nous n'avons un quatrin pour payer le naulage.

Ainsi donc tu jouis de repos bienheureux,
Et comme font là bas ces doctes amoureux,
Bien avant dans un bois te perds avec ta dame:

12   Tu bois le long oubly de tes travaux passez,
Sans plus penser en ceulx que tu as delaissez,
Criant dessus le port ou tirant à la rame.

LII

Ce pendant que tu dis ta Cassandre divine,
Les louanges du Roy, & l'heritier d'Hector,
Et ce Montmorancy, nostre François Nestor,
4   Et que de sa faveur Henry t'estime digne:

Je me pourmene seul sur la rive Latine,
La France regrettant, & regrettant encor
Mes antiques amis, mon plus riche tresor,
8   Et le plaisant sejour de ma terre Angevine.

Je regrette les bois, & les champs blondissans,
Les vignes, les jardins, & les prez verdissans,
Que mon fleuve traverse: icy pour recompense

12   Ne voyant que l'orgueil de ces monceaux pierreux,
Ou me tient attaché d'un espoir malheureux
Ce que possede moins celuy qui plus y pense.

LIII

Malheureux l'an, le mois, le jour, l'heure & le poinct,
Et malheureuse soit la flateuse esperance,
Quand pour venir icy j'abandonnay la France:
4   La France, & mon Anjou, dont le desir me poingt.

Vrayment d'un bon oiseau guidé je ne fus point,
Et mon cœur me donnoit assez signifiance
Que le ciel estoit plein de mauvaise influence,
8   Et que Mars estoit lors à Saturne conjoint.

Cent fois le bon advis lors m'en voulut distraire,
Mais tousjours le destin me tiroit au contraire:
Et si mon desir n'eust aveuglé ma raison,

12   N'estoit-ce pas assez pour rompre mon voyage,
Quand sur le sueil de l'huis, d'un sinistre presage,
Je me blessay le pied sortant de ma maison?

LIV

Ce n'est l'ambition, ny le soing d'acquerir,
Qui m'a fait delaisser ma rive paternelle,
Pour voir ces monts couvers d'une neige eternelle,
4   Et par mille dangers ma fortune querir.

Le vray honneur, qui n'est coustumier de perir,
Et la vrayë vertu, qui seule est immortelle,
Ont comblé mes desirs d'une abondance telle,
8   Qu'un plus grand bien aux Dieux je ne veulx requerir.

L'honneste servitude, ou mon devoir me lie,
M'a fait passer les monts de France en Italie,
Et demourer trois ans sur ce bord estranger,

12   Ou je vy languissant: ce seul devoir encore
Me peult faire changer France à l'Inde & au More,
Et le ciel à l'enfer me peult faire changer.

LV

Je hay plus que la mort un jeune casanier,
Qui ne sort jamais hors, sinon aux jours de feste,
Et craignant plus le jour qu'une sauvage beste,
4   Se fait en sa maison luy mesmes prisonnier.

Mais je ne puis aymer un vieillard voyager,
Qui court deça dela, & jamais ne s'arreste,
Ains des pieds moins leger que leger de la teste,
8   Ne sejourne jamais non plus qu'un messager.

L'un sans se travailler en seureté demeure,
L'autre, qui n'a repos jusques à tant qu'il meure,
Traverse nuict & jour mille lieux dangereux:

12   L'un passe riche & sot heureusement sa vie,
L'autre, plus souffreteux qu'un pauvre qui mendie,
S'acquiert en voyageant un sçavoir malheureux.

LVI

Heureux qui, comme Ulysse, a fait un beau voyage,
Ou comme cestuy là qui conquit la toison,
Et puis est retourné, plein d'usage & raison,
4   Vivre entre ses parents le reste de son aage!

Quand revoiray-je, helas, de mon petit village
Fumer la cheminee, & en quelle saison
Revoiray-je le clos de ma pauvre maison,
8   Qui m'est une province, & beaucoup d'avantage?

Plus me plaist le sejour qu'ont basty mes ayeux,
Que des palais Romains le front audacieux:
Plus que le marbre dur me plaist l'ardoise fine.

12   Plus mon Loyre Gaulois que le Tybre Latin,
Plus mon petit Lyré que le mont Palatin,
Et plus que l'air marin la doulceur Angevine.

LVII

Je me feray sçavant en la philosophie,
En la mathematique & medicine aussi:
Je me feray legiste, & d'un plus hault souci
4   Apprendray les secrets de la theologie:

Du lut & du pinceau j'esbateray ma vie,
De l'escrime & du bal. Je discourois ainsi,
Et me vantois en moy d'apprendre tout cecy,
8   Quand je changeay la France au sejour d'Italie.

O beaux discours humains! je suis venu si loing,
Pour m'enrichir d'ennuy, de vieillesse & de soing,
Et perdre en voyageant le meilleur de mon aage.

12   Ainsi le marinier souvent pour tout tresor
Rapporte des harencs en lieu de lingots d'or,
Ayant fait, comme moy, un malheureux voyage.

LVIII

J'ayme la liberté, & languis en service,
Je n'ayme point la Court, & me fault courtiser,
Je n'ayme la feintise, & me fault deguiser,
4   J'ayme simplicité, & n'apprens que malice:

Je n'adore les biens, & sers à l'avarice,
Je n'ayme les honneurs, & me les fault priser,
Je veulx garder ma foy, & me la fault briser,
8   Je cherche la vertu, & ne trouve que vice:

Je cherche le repos, & trouver ne le puis,
J'embrasse le plaisir, & n'esprouve qu'ennuis,
Je n'ayme à discourir, en raison je me fonde:

12   J'ay le corps maladif, & me fault voyager,
Je suis né pour la Muse, on me fait mesnager:
Ne suis-je pas (Morel) le plus chetif du monde?

G

LIX

Si pour avoir passé sans crime sa jeunesse,
Si pour n'avoir d'usure enrichy sa maison,
Si pour n'avoir commis homicide ou traïson,
4   Si pour n'avoir usé de mauvaise finesse,

Si pour n'avoir jamais violé sa promesse,
On se doit resjouir en l'arriere saison,
Je dois à l'advenir, si j'ay quelque raison,
8   D'un grand contentement consoler ma vieillesse.

Je me console donc en mon adversité,
Ne requerant aux Dieux plus grand' felicité
Que de pouvoir durer en ceste patience.

12   O Dieux, si vous avez quelque souci de nous,
Ottroyez moy ce don, que j'espere de vous,
Et pour vostre pitié & pour mon innocence.

LX

Si apres quarante ans de fidele service,
Que celuy que je sers a fait en divers lieux,
Employant, liberal, tout son plus & son mieux
4   Aux affaires qui sont de plus digne exercice,

D'un haineux estranger l'envieuse malice
Exerce contre luy son courage odieux,
Et sans avoir souci des hommes ny des Dieux,
8   Oppose à la vertu l'ignorance & le vice,

Me doy-je tormenter, moy, qui suis moins que rien,
Si par quelqu'un (peult estre) envieux de mon bien
Je ne treuve à mon gré la faveur opportune?

12   Je me console donc, & en pareille mer,
Voyant mon cher Seigneur au danger d'abysmer,
Il me plaist de courir une mesme fortune.

LXI

Vivons (Gordes) vivons, vivons, & pour le bruit
Des vieillards ne laissons à faire bonne chere:
Vivons, puis que la vie est si courte & si chere,
4 Et que mesmes les Roys n'en ont que l'usufruit.

Le jour s'esteint au soir, & au matin reluit,
Et les saisons refont leur course coustumiere:
Mais quand l'homme a perdu ceste doulce lumiere,
8 La mort luy fait dormir une eternelle nuict.

Donc imiterons-nous le vivre d'une beste?
Non, mais devers le ciel levans tousjours la teste,
Gousterons quelque fois la doulceur du plaisir.

12 Celuy vrayement est fol, qui changeant l'asseurance
Du bien qui est present, en douteuse esperance,
Veult tousjours contredire à son propre desir.

LXII

Ce ruzé Calabrois tout vice, quel qu'il soit,
Chatouille à son amy, sans espargner personne,
Et faisant rire ceulx que mesme il espoinçonne,
4 Se jouë autour du cœur de cil qui le reçoit.

Si donc quelque subtil en mes vers apperçoit
Que je morde en riant, pourtant nul ne me donne
Le nom de feint amy vers ceulx que j'aiguillonne:
8 Car qui m'estime tel, lourdement se deçoit.

La Satyre (Dilliers) est un publiq exemple,
Ou, comme en un miroir, l'homme sage contemple
Tout ce qui est en luy ou de laid ou de beau.

12 Nul ne me lise donc, ou qui me vouldra lire
Ne se fasche s'il void, par maniere de rire,
Quelque chose du sien protrait en ce tableau.

LXIII

Ne t'emerveille point que chascun il mesprise,
Qu'il dedaigne un chascun, qu'il n'estime que soy,
Qu'aux ouvrages d'autruy il veuille donner loy,
4   Et comme un Aristarq' luymesme s'auctorise.

Paschal, c'est un pedant': & quoy qu'il se deguise,
Sera tousjours pedant'. Un pedant' & un roy
Ne te semblent-ilz pas avoir je ne sçay quoy
8   De semblable, & que l'un à l'autre symbolise?

Les subjects du pedant', ce sont ses escoliers,
Ses classes ses estatz, ses regents officiers,
Son college (Paschal) est comme sa province.

12   Et c'est pourquoy jadis le Syracusien,
Ayant perdu le nom de roy Sicilien,
Voulut estre pedant', ne pouvant estre prince.

LXIV

Je hay du Florentin l'usuriere avarice,
Je hay du fol Sienois le sens mal arresté,
Je hay du Genevois la rare verité,
4   Et du Venitien la trop caute malice:

Je hay le Ferrarois pour je ne sçay quel vice,
Je hay tous les Lombards pour l'infidelité,
Le fier Napolitain pour sa grand' vanité,
8   Et le poltron Romain pour son peu d'exercice:

Je hay l'Anglois mutin & le brave Escossois,
Le traistre Bourguignon & l'indiscret François,
Le superbe Espaignol & l'yvrongne Thudesque:

12   Bref, je hay quelque vice en chasque nation,
Je hay moymesme encor' mon imperfection,
Mais je hay par sur tout un sçavoir pedantesque.

LXV

Je ne descouvre icy les mysteres sacrez
Des saincts prestres Romains, je ne veulx rien escrire
Que la vierge honteuse ait vergongne de lire,
4   Je veulx toucher sans plus aux vices moins secretz.

Mais tu diras que mal je nomme ces Regretz,
Veu que le plus souvent j'use de mots pour rire:
Et je dy que la mer ne bruit tousjours son ire,
8   Et que tousjours Phœbus ne sagette les Grecz.

Si tu rencontres donc icy quelque risee,
Ne baptise pourtant de plainte deguisee
Les vers que je souspire au bord Ausonien.

12   La plainte que je fais (Dilliers) est veritable;
Si je ry, c'est ainsi qu'on se rid à la table,
Car je ry, comme on dit, d'un riz Sardonien.

LXVI

Je n'escris point d'amour, n'estant point amoureux,
Je n'escris de beauté, n'ayant belle maistresse,
Je n'escris de douceur, n'esprouvant que rudesse,
4   Je n'escris de plaisir, me trouvant douloureux:

Je n'escris de bon heur, me trouvant malheureux,
Je n'escris de faveur, ne voyant ma Princesse,
Je n'escris de tresors, n'ayant point de richesse,
8   Je n'escris de santé, me sentant langoureux:

Je n'escris de la Court, estant loing de mon Prince,
Je n'escris de la France, en estrange province,
Je n'escris de l'honneur, n'en voyant point icy:

12   Je n'escris d'amitié, ne trouvant que feintise,
Je n'escris de vertu, n'en trouvant point aussi,
Je n'escris de sçavoir, entre les gens d'Eglise.

LXVII

Si je monte au Palais, je n'y trouve qu'orgueil,
Que vice deguisé, qu'une cerimonie,
Qu'un bruit de tabourins, qu'une estrange harmonie,
4   Et de rouges habits un superbe appareil:

Si je descens en banque, un amas & recueil
De nouvelles je treuve, une usure infinie,
De riches Florentins une troppe banie,
8   Et de pauvres Sienois un lamentable dueil:

Si je vais plus avant, quelque part ou j'arrive,
Je treuve de Venus la grand' bande lascive
Dressant de tous costez mil appas amoureux:

12   Si je passe plus oultre, & de la Rome neufve
Entre en la vieille Rome, adonques je ne treuve
Que de vieux monuments un grand monceau pierreux.

LXVIII

Flatter un crediteur, pour son terme allonger,
Courtiser un banquier, donner bonne esperance,
Ne suivre en son parler la liberté de France,
4   Et pour respondre un mot, un quart d'heure y songer:

Ne gaster sa santé par trop boire & manger,
Ne faire sans propos une folle despense,
Ne dire à tous venans tout cela que lon pense,
8   Et d'un maigre discours gouverner l'estranger:

Cognoistre les humeurs, cognoistre qui demande,
Et d'autant que lon a la liberté plus grande,
D'autant plus se garder que lon ne soit repris:

12   Vivre aveques chascun, de chascun faire compte:
Voila, mon cher Morel, (dont je rougis de honte)
Tout le bien qu'en trois ans à Rome j'ay appris.

LXIX

Marcher d'un grave pas & d'un grave sourci,
Et d'un grave soubriz à chascun faire feste,
Balancer tous ses mots, respondre de la teste,
4   Avec un *Messer non*, ou bien un *Messer si*:

Entremesler souvent un petit *Et cosi*,
Et d'un *son Servitor'* contrefaire l'honneste,
Et, comme si lon eust sa part en la conqueste,
8   Discourir sur Florence, & sur Naples aussi:

Seigneuriser chascun d'un baisement de main,
Et suivant la façon du courtisan Romain,
Cacher sa pauvreté d'une brave apparence:

12   Voila de ceste Court la plus grande vertu,
Dont souvent mal monté, mal sain, & mal vestu,
Sans barbe & sans argent on s'en retourne en France.

LXX

Ne pense pas (Bouju) que les Nymphes Latines
Pour couvrir leur traïson d'une humble privauté,
Ny pour masquer leur teint d'une faulse beauté,
4   Me facent oublier noz Nymphes Angevines.

L'Angevine douceur, les paroles divines,
L'habit qui ne tient rien de l'impudicité,
La grace, la jeunesse & la simplicité
8   Me desgoustent (Bouju) de ces vieilles Alcines.

Qui les void par dehors ne peult rien voir plus beau,
Mais le dedans resemble au dedans d'un tombeau,
Et si rien entre nous moins honneste se nomme.

12   O quelle gourmandise! ô quelle pauvreté!
O quelle horreur de voir leur immondicité!
C'est vrayment de les voir le salut d'un jeune homme.

LXXI

O beaux cheveux d'argent mignonnement retors!
O front crespe & serein! & vous face doree!
O beaux yeux de crystal! ô grand' bouche honoree,
4   Qui d'un large reply retrousses tes deux bords!

O belles dentz d'ebene! ô precieux tresors,
Qui faites d'un seul riz toute ame enamouree!
O gorge damasquine en cent pliz figuree!
8   Et vous beaux grands tetins, dignes d'un si beau corps!

O beaux ongles dorez! ô main courte & grassette!
O cuisse delicatte! & vous gembe grossette,
Et ce que je ne puis honnestement nommer!

12   O beau corps transparent! ô beaux membres de glace!
O divines beautez! pardonnez moy de grace,
Si, pour estre mortel, je ne vous ose aymer.

LXXII

Si fruicts, raisins, & bledz, & autres telles choses,
Ont leur tronc, & leur sep, & leur semence aussi,
Et s'on void au retour du primtemps addoulci
4   Naistre de toutes parts violettes & roses:

Ny fruicts, raisins, ny bledz, ny fleurettes descloses
Sortiront (Viateur) du corps qui gist icy:
Aulx, oignons, & porreaux, & ce qui fleure ainsi,
8   Auront icy dessous leurs semences encloses.

Toy donc, qui de l'encens & du basme n'as point,
Si du grand Jules tiers quelque regret te poingt,
Parfume son tombeau de telle odeur choisie:

12   Puis que son corps, qui fut jadis egal aux Dieux,
Se souloit paistre icy de telz metz precieux,
Comme au ciel Jupiter se paist de l'ambrosie.

LXXIII

Comme un qui veult curer quelque Cloaque immunde,
S'il n'a le nez armé d'une contresenteur,
Estouffé bien souvent de la grand'puanteur
4 Demeure ensevely dans l'ordure profonde:

Ainsi le bon Marcel ayant levé la bonde,
Pour laisser escouler la fangeuse espesseur
Des vices entassez, dont son predecesseur
8 Avoit six ans devant empoisonné le monde:

Se trouvant le pauvret de telle odeur surpris,
Tomba mort au milieu de son œuvre entrepris,
N'ayant pas à demy ceste ordure purgee.

12 Mais quiconques rendra tel ouvrage parfait,
Se pourra bien vanter d'avoir beaucoup plus fait
Que celuy qui purgea les estables d'Augee.

LXXIV

Je n'ay jamais pensé que ceste voulte ronde
Couvrist rien de constant: mais je veulx desormais,
Je veulx (mon cher Morel) croire plus que jamais
4 Que dessous ce grand Tout rien ferme ne se fonde,

Puis que celuy qui fut de la terre & de l'onde
Le tonnere & l'effroy, las de porter le faiz,
Veult d'un cloistre borner la grandeur de ses faicts,
8 Et pour servir à Dieu abandonner le monde.

Mais quoy? que dirons-nous de cet autre vieillard,
Lequel ayant passé son aage plus gaillard
Au service de Dieu, ores Cesar imite?

12 Je ne sçay qui des deux est le moins abusé:
Mais je pense (Morel) qu'il est fort mal aisé
Que l'un soit bon guerrier, ny l'autre bon hermite.

LXXV

O trois & quatre fois malheureuse la terre
Dont le Prince ne void que par les yeux d'autruy,
N'entend que par ceulx-là qui respondent pour luy,
4   Aveugle, sourd & mut plus que n'est une pierre!

Telz sont ceulx-là (Seigneur) qu'aujourdhuy lon reserre
Oysifz dedans leur chambre, ainsi qu'en un estuy,
Pour durer plus long temps, & ne sentir l'ennuy
8   Que sent leur pauvre peuple accablé de la guerre.

Ilz se paissent enfans de trompes & canons,
De fifres, de tabours, d'enseignes, gomphanons,
Et de voir leur province aux ennemis en proye.

12   Tel estoit cestui-là, qui du hault d'une tour,
Regardant ondoyer la flamme tout autour,
Pour se donner plaisir chantoit le feu de Troye.

LXXVI

Quand je voy ces Messieurs, desquelz l'auctorité
Se void ores icy commander en son rang,
D'un front audacieux cheminer flanc à flanc,
4   Il me semble de voir quelque divinité.

Mais les voyant pallir lors que sa Saincteté
Crache dans un bassin, & d'un visage blanc
Cautement espier s'il y a point de sang,
8   Puis d'un petit soubriz feindre une seureté:

O combien (dy-je alors) la grandeur que je voy
Est miserable au pris de la grandeur d'un Roy!
Malheureux qui si cher achete tel honneur.

12   Vrayement le fer meurtrier & le rocher aussi
Pendent bien sur le chef de ces Seigneurs icy,
Puis que d'un vieil filet depend tout leur bon heur.

LXXVII

Nous ne sommes faschez que la trefve se face:
Car bien que nous soyons de la France bien loing,
Si est chascun de nous à soymesmes tesmoing
4   Combien la France doit de la guerre estre lasse.

Mais nous sommes faschez que l'Espagnole audace,
Qui plus que le Francois de repos a besoing,
Se vante avoir la guerre & la paix en son poing,
8   Et que de respirer nous luy donnons espace.

Il nous fasche d'ouir noz pauvres alliez
Se plaindre à tous propos qu'on les ait oubliez,
Et qu'on donne au privé l'utilité commune.

12   Mais ce qui plus nous fasche est que les estrangers
Disent plus que jamais que nous sommes legers,
Et que nous ne sçavons cognoistre la fortune.

LXXVIII

Tu sois la bien venue, ô bienheureuse trefve!
Trefve, que le Chrestien ne peult assez chanter,
Puis que seule tu as la vertu d'enchanter
4   De noz travaulx passez la souvenance greve.

Tu dois durer cinq ans: & que l'envie en creve:
Car si le ciel bening te permet enfanter
Ce qu'on attend de toy, tu te pourras vanter
8   D'avoir fait une paix qui ne sera si breve.

Mais si le favory en ce commun repos
Doit avoir desormais le temps plus à propos
D'accuser l'innocent, pour luy ravir sa terre:

12   Si le fruict de la paix du peuple tant requis
A l'avare advocat est seulement acquis:
Trefve, va t'en en paix, & retourne la guerre.

LXXIX

Et je pensois aussi ce que pensoit Ulysse,
Qu'il n'estoit rien plus doulx que voir encor' un jour
Fumer sa cheminee, & apres long sejour
4   Se retrouver au sein de sa terre nourrice.

Je me resjouissois d'estre eschappé au vice,
Aux Circes d'Italie, aux Sirenes d'amour
Et d'avoir rapporté en France à mon retour
8   L'honneur que lon s'acquiert d'un fidele service.

Las, mais apres l'ennuy de si longue saison,
Mille souciz mordans je trouve en ma maison,
Qui me rongent le cœur sans espoir d'allegeance.

12   Adieu donques (Dorat) je suis encor' Romain,
Si l'arc que les neuf Sœurs te meirent en la main
Tu ne me preste icy, pour faire ma vengeance.

LXXX

Il fait bon voir (Magny) ces Coïons magnifiques,
Leur superbe Arcenal, leurs vaisseaux, leur abbord,
Leur sainct Marc, leur Palais, leur Realte, leur port,
4   Leurs changes, leurs profits, leur banque & leurs trafiques:

Il fait bon voir le bec de leurs chapprons antiques,
Leurs robbes à grand'manche & leurs bonnets sans bord,
Leur parler tout grossier, leur gravité, leur port,
8   Et leurs sages advis aux affaires publiques.

Il fait bon voir de tout leur Senat balloter,
Il fait bon voir par tout leurs gondolles flotter,
Leurs femmes, leurs festins, leur vivre solitaire:

12   Mais ce que lon en doit le meilleur estimer,
C'est quand ces vieux coquz vont espouser la mer,
Dont ilz sont les mariz & le Turc l'adultère.

LXXXI

La terre y est fertile, amples les edifices,
Les poelles bigarrez, & les chambres de bois,
La police immuable, immuables les loix,
4   Et le peuple ennemy de forfaicts & de vices.

Ils boivent nuict & jour en Bretons & Suysses,
Ilz sont gras & refaits, & mangent plus que trois:
Voila les compagnons & correcteurs des Rois,
8   Que le bon Rabelais a surnommez Saulcisses.

Ilz n'ont jamais changé leurs habitz & façons,
Ils hurlent comme chiens leurs barbares chansons,
Ilz comptent à leur mode & de tout se font croire:

12   Ilz ont force beaux lacs & force sources d'eau,
Force prez, force bois. J'ay du reste (Belleau)
Perdu le souvenir, tant ilz me firent boire.

LXXXII

Je les ay veuz (Bizet) & si bien m'en souvient,
J'ay veu dessus leur front la repentance peinte,
Comme on void ces esprits qui là bas font leur plainte,
4   Ayant passé le lac d'ou plus on ne revient.

Un croire de leger les folz y entretient
Sous un pretexte faulx de liberté contrainte:
Les coulpables fuitifz y demeurent par crainte,
8   Les plus fins & rusez honte les y retient.

Au demeurant (Bizet) l'avarice & l'envie,
Et tout cela qui plus tormente nostre vie,
Domine en ce lieu là plus qu'en tout autre lieu.

12   Je ne veis onques tant l'un l'autre contre-dire,
Je ne veis onques tant l'un de l'autre mesdire:
Vray est que, comme icy, lon ne jure point Dieu.

LXXXIII

De-vaulx, la mer reçoit tous les fleuves du monde,
Et n'en augmente point: semblable à la grand'mer
Est ce Paris sans pair, ou lon void abysmer
4　Tout ce qui là dedans de toutes parts abonde.

Paris est en sçavoir une Grece feconde,
Une Rome en grandeur Paris on peult nommer,
Une Asie en richesse on le peult estimer,
8　En rares nouveautez une Afrique seconde.

Bref, en voyant (De-vaulx) ceste grande cité,
Mon œil, qui paravant estoit exercité
A ne s'emerveiller des choses plus estranges,

12　Print esbaïssement. Ce qui ne me peut plaire,
Ce fut l'estonnement du badaud populaire,
La presse des chartiers, les procez, & les fanges.

LXXXIV

Si tu veulx vivre en Court (Dilliers) souvienne-toy
De t'accoster tousjours des mignons de ton maistre,
Si tu n'es favory, faire semblant de l'estre,
4　Et de t'accommoder aux passetemps du Roy.

Souvienne-toy encor' de ne prester ta foy
Au parler d'un chascun: mais sur tout sois adextre
A t'aider de la gauche autant que de la dextre,
8　Et par les mœurs d'autruy à tes mœurs donne loy.

N'avance rien du tien (Dilliers) que ton service,
Ne monstre que tu sois trop ennemy du vice,
Et sois souvent encor' muet, aveugle & sourd.

12　Ne fay que pour autruy importun on te nomme:
Faisant ce que je dy, tu seras galland homme:
T'en souvienne (Dilliers) si tu veulx vivre en Court.

LXXXV

Tu t'abuses (Belleau) si pour estre sçavant,
Sçavant & vertueux, tu penses qu'on te prise :
Il fault (comme lon dit) estre homme d'entreprise,
4 Si tu veulx qu'à la Court on te pousse en avant.

Ces beaux noms de vertu, ce n'est rien que du vent.
Donques, si tu es sage, embrasse la feintise,
L'ignorance, l'envie, avec la couvoitise :
8 Par ces artz jusqu'au ciel on monte bien souvent.

La science à la table est des seigneurs prisee,
Mais en chambre (Belleau) elle sert de risee :
Garde, si tu m'en crois, d'en acquerir le bruit.

12 L'homme trop vertueux desplait au populaire :
Et n'est-il pas bien fol, qui s'efforçant de plaire,
Se mesle d'un mestier que tout le monde fuit ?

LXXXVI

Seigneur, je ne sçaurois regarder d'un bon œil
Ces vieux Singes de Court, qui ne sçavent rien faire,
Sinon en leur marcher les Princes contrefaire,
4 Et se vestir, comme eulx, d'un pompeux appareil.

Si leur maistre se mocque, ilz feront le pareil,
S'il ment, ce ne sont eulx qui diront du contraire,
Plustost auront-ilz veu, à fin de luy complaire,
8 La Lune en plein midy, à minuict le Soleil.

Si quelqu'un devant eulx reçoit un bon visage,
Ilz le vont caresser, bien qu'ilz crevent de rage :
S'il le reçoit mauvais, ilz le montrent au doy.

12 Mais ce qui plus contre eulx quelquefois me despite,
C'est quand devant le Roy, d'un visage hypocrite,
Ilz se prennent à rire, & ne sçavent pourquoy.

LXXXVII

Ronsard, j'ay veu l'orgueil des Colosses antiques,
Les theatres en rond ouvers de tous costez,
Les columnes, les arcz, les haults temples voultez,
4 Et les sommets pointus des carrez obelisques.

J'ay veu des Empereurs les grands thermes publiques,
J'ay veu leurs monuments que le temps a dontez,
J'ay veu leurs beaux palais que l'herbe a surmontez,
8 Et des vieux murs Romains les poudreuses reliques.

Bref, j'ay veu tout cela que Rome a de nouveau,
De rare, d'excellent, de superbe & de beau:
Mais je n'y ay point veu encores si grand' chose

12 Que ceste Marguerite, où semble que les cieulx,
Pour effacer l'honneur de tous les siecles vieux,
De leurs plus beaux presens ont l'excellence enclose.

LXXXVIII

Dessous ce grand François, dont le bel astre luit
Au plus beau lieu du ciel, la France fut enceinte
Des lettres & des arts, & d'une troppe saincte
4 Que depuis sous Henry feconde elle a produict:

Mais elle n'eut plus-tost fait monstre d'un tel fruict,
Et plus-tost ce beau part n'eut la lumiere atteincte,
Que je ne sçay comment sa clairté fut esteincte,
8 Et vid en mesme temps & son jour & sa nuict.

Helicon est tary, Parnasse est une plaine,
Les lauriers sont seichez, & France, autrefois pleine
De l'esprit d'Apollon, ne l'est plus que de Mars.

12 Phœbus s'en fuit de nous, & l'antique ignorance
Sous la faveur de Mars retourne encore en France,
Si Pallas ne defend les lettres & les arts.

DIVERS JEVX RVSTIQVES

(January 1558)

LXXXIX

D'VN VANNEVR DE BLÉ, AVX VENTS

A vous troppe legere,
Qui d'æle passagere
Par le monde volez,
4   Et d'un sifflant murmure
L'ombrageuse verdure
Doulcement esbranlez,

J'offre ces violettes,
8   Ces lis, & ces fleurettes,
Et ces roses icy,
Ces vermeillettes roses,
Tout freschement écloses,
12   Et ces œilletz aussi.

De vostre doulce halaine
Eventez ceste plaine,
Eventez ce sejour:
16   Ce pendant que j'ahanne
A mon blé, que je vanne
A la chaleur du jour.

XC

A CERÉS, A BACCHVS ET A PALÉS

Cerés d'espicz je couronne,
Ce pampre à Bacchus je donne,
Je donne à Palés la grande
4   Deux potz de laict pour offrande:
Afin que Cerés la blonde
Rende la plaine feconde,
Bacchus à la vigne rie,
8   Et Palés à la prairie.

H   85

XCI

D'VN BERGER, A PAN

Robin par bois & campaignes,
Par bocaiges & montaignes,
Suivant naguere un taureau
4   Egaré de son troppeau,
D'un roc elevé regarde,
Void une biche fuyarde,
D'un dard la faict trebucher,
8   Trouve en l'antre d'un rocher
Les petits fanneaux, qu'il donne
A Jannette sa mignonne:
Puis fait à ses compaignons
12   Un banquet d'aulx & d'oignons,
Faisant courrir par la trouppe
De vin d'Anjou mainte couppe.
Quant au reste, ô Dieu cornu,
16   Au croc de ce pin cogneu
Pour ton offrande j'apporte
La peau de la biche morte.

XCII

DE DEVX AMANS, A VENVS

Nous deux Amans, qui d'un mesme courage
Sommes uniz en ce prochain village,
Chaste Cypris, vouons à ton autel
4   Avec le lis l'amaranthe immortel.
Et c'est à fin que nostre amour soit telle
Que l'amaranthe à la fleur immortelle:
Soit tousjours pure, & de telle blancheur
8   Que sont les lis en leur pasle frescheur,
Et que noz cœurs mesme lien assemble,
Comme ces fleurs on void joinctes ensemble.

XCIII

D'VNE NYMPHE, A DIANE

Une vierge chasseresse
Pleurant de laisser les bois,
Append icy son carquois,
4   Ses traictz, son arc & sa lesse.

Sa mere l'a condamnee
A rompre son chaste vœu,
La liant d'un autre nœu
8   Dessous les loix d'Hymenee.

Mais, ô fille de Latonne,
Qu'encor' reclamer je doy,
Si c'est en despit de moy
12   Que tes forestz j'abandonne,

Autant qu'au bois favorable,
Diane, tu m'as esté,
Sois à ma necessité,
16   Lucine, autant secourable.

XCIV

A VENVS

Ayant apres long desir
Pris de ma doulce ennemie
Quelques arres du plaisir
4   Que sa rigueur me denie,

Je t'offre ces beaux œillets,
Venus, je t'offre ces roses,
Dont les boutons vermeillets
8   Imitent les levres closes,

Que j'ay baisé par trois fois,
Marchant tout beau dessoubs l'ombre
De ce buisson, que tu vois:
12   Et n'ay sceu passer ce nombre,

Pource que la mere estoit
Aupres de là, ce me semble,
Laquelle nous aguettoit:
16   De peur encores j'en tremble.

Or' je te donne ces fleurs:
Mais si tu fais ma rebelle
Autant piteuse à mes pleurs
20   Comme à mes yeux elle est belle,

Un Myrte je dediray
Dessus les rives de Loyre,
Et sur l'écorse escriray
24   Ces quatre vers à ta gloire:

THENOT SUR CE BORD ICY,
A VENUS SACRE ET ORDONNE
CE MYRTE, ET LUY DONNE AUSSI
28   CES TROPPEAUX ET SA PERSONNE.

XCV

VILLANELLE

En ce moys delicieux,
Qu'amour toute chose incite,
Un chacun à qui mieulx mieulx
4   La doulceur du temps imite,
Mais une rigueur despite
Me faict pleurer mon malheur.
Belle & franche Marguerite,
8   Pour vous j'ay ceste douleur.

Dedans vostre œil gracieux
Toute doulceur est escritte,
Mais la doulceur de voz yeulz
12   En amertume est confite.
Souvent la couleuvre habite
Dessoubs une belle fleur.
Belle & franche Marguerite,
16   Pour vous j'ay ceste douleur.

Or puis que je deviens vieux,
Et que rien ne me profite,
Desesperé d'avoir mieulx,
20 Je m'en iray rendre hermite,
Je m'en iray rendre hermite,
Pour mieulx pleurer mon malheur.
Belle & franche Marguerite,
24 Pour vous j'ay ceste douleur.

Mais si la faveur des Dieux
Au bois vous avoit conduitte,
Ou, desperé d'avoir mieulx,
28 Je m'en iray rendre hermite,
Peult estre que ma poursuite
Vous feroit changer couleur.
Belle & franche Marguerite,
32 Pour vous j'ay ceste douleur.

XCVI

CHANT DE L'AMOUR ET DV PRINTEMPS

. . . .
Si les joyeux oyselets
Dessus les verdes fleurettes
Et par les bois nouvelets
44 Dégoysent leurs amourettes,

Pourquoy ne diray-je aussi
Le seul plaisir de ma vie,
Puis qu'amour le veult ainsi,
48 Et que le ciel m'y convie?

Le flambeau dont les chaleurs
Ardent l'antique froidure,
De mille sortes de fleurs
52 Repeingt la jeune verdure:

Et le Dieu qui mes desirs
Brusle d'une saincte flamme,
Mille sortes de plaisirs
56 Replante dedans mon ame.

Tout ce qui l'hyver s'est veu
Morne, transi, froid & blesme,
Sent maintenant ce doulx feu,
60   Et moy je suis le feu mesme.

Des fleuves les piedz glissans
Frappent leurs plus haultes rives,
Et les sommetz verdissans
64   Rehaulsent leurs testes vives:

Des-ja les sepz tournoyans
Autour des branches verdoient,
Ja les verdz sillons ploians
68   Par les campaignes ondoient.

Bacchus, Priape & Cerés,
Palés, Vertumne & Pomonne,
Et chaque Dieu des forests
72   Se prepare une couronne.

        .   .   .   .

Amour, si ta deité,
Des deitez la plus saincte,
Fut des ma nativité
92   En moy divinement peincte:

Si tu es tout bon & beau,
Et si tu m'as faict notoire,
Que ton celeste flambeau
96   Ne jette point flamme noire:

De quelle riche couleur
Peindray-je ma poësie
Pour descrire la valeur
100   Que j'ay sur toutes choisie?

Tous les verds tresors des cieux,
Riche ornement de la plaine,
Representent à mes yeux
104   L'object de ma doulce peine.

Je voy dedans ces œillets
Rougir les deux levres closes
Dont les boutons vermeillets
108   Blesmissent le teinct des roses.

Je voy pallir dans ces liz,
Qui en longueur se blanchissent,
La nege des doigts polis,
112   Qui en diz perles finissent.

Voyant sur nostre sejour
La belle aulbe retournee,
Pour serener d'un beau jour
116   La lumiere nouveau-nee,

Je voy le blanc & vermeil
De celle face tant claire,
Dont l'un & l'autre soleil
120   A mes tenebres esclaire.

Voyant ces rayons ardens
Dessus le crystal de l'onde,
Qui frizent par le dedans
124   Le fond de l'arene blonde,

Je voy les ondes encor'
De ces tresses blondelettes,
Qui se crespent dessous l'or
128   Des argentines perlettes.

Le sep, qui estreint si fort
De l'orme la branche neuve,
Armant l'un & l'autre bord
132   Du long rampart de mon fleuve,

Ressemble ces nœudz espars,
Qui sur le front de madame
Enlaçent de toutes parts
136   Mon cœur, mon corps & mon ame.

Ce vent, qui raze les flancz
De la plaine coloree,
A longs souspirs doulx souflans,
140   Qui rident l'onde azuree,

M'inspire un doulx souvenir
De ceste haleine tant doulce,
Qui fait doulcement venir
144　　Et plus doulcement repoulse

Les deux sommetz endurciz
De ces blancz coutaux d'ivoyre,
Comme les flots adoulciz
148　　Qui baisent les bords de Loyre.

L'argentin de ces ruisseaux,
Qui paisiblement murmurent,
Soubz le fraiz des arbrisseaux
152　　Qui les rivages emmurent,

Resent celle doulce voix,
Voix celeste & nompareille,
Qui m'a plus de mille fois
156　　Succé l'ame par l'oreille.

Vous donq' amoureux oyseaux,
Soit aux bois, soit aux campaignes,
Accordez au bruit des eaux,
160　　Qui tumbent de ces montaignes:

Dont l'immortelle verdeur
Du mille fleurs diapree
Embasme de son odeur
164　　Le verd honneur de la pree.

. . . .

XCVII

EPITAPHE D'VN CHAT

Maintenant le vivre me fasche:
Et à fin, Magny, que tu sçaiche'
Pourquoy je suis tant esperdu,
4　　Ce n'est pas pour avoir perdu
Mes anneaux, mon argent, ma bource:
Et pourquoy est-ce donques? pource

Que j'ay perdu depuis trois jours
8 Mon bien, mon plaisir, mes amours:
Et quoy? ô souvenance greve!
A peu que le cueur ne me creve
Quand j'en parle ou quand j'en escris:
12 C'est Belaud mon petit chat gris,
Belaud, qui fut paraventure
Le plus bel œuvre que nature
Feit onc en matiere de chats:
16 C'estoit Belaud la mort aux rats,
Belaud, dont la beauté fut telle,
Qu'elle est digne d'estre immortelle.
    Donques Belaud premierement
20 Ne fut pas gris entierement,
Ny tel qu'en France on les void naistre,
Mais tel qu'à Rome on les void estre,
Couvert d'un poil gris argentin,
24 Ras & poly comme satin,
Couché par ondes sur l'eschine,
Et blanc dessous comme une ermine.
    Petit museau, petites dens,
28 Yeux qui n'estoient point trop ardens,
Mais desquelz la prunelle perse
Imitoit la couleur diverse
Qu'on void en cest arc pluvieux,
32 Qui se courbe au travers des cieux.
    La teste à la taille pareille,
Le col grasset, courte l'oreille,
Et dessous un nez ebenin
36 Un petit mufle lyonnin,
Autour duquel estoit plantee
Une barbelette argentee,
Armant d'un petit poil folet
40 Son musequin damoiselet.
    Gembe gresle, petite patte
Plus qu'une moufle delicate,
Si non alors qu'il desguaynoit
44 Cela dont il egratignoit:
La gorge douillette & mignonne,
La queuë longue à la guenonne,
Mouchetee diversement
48 D'un naturel bigarrement:

Le flanc haussé, le ventre large,
Bien retroussé dessous sa charge,
Et le doz moyennement long,
52 Vray sourian, s'il en fut onq'.
  Tel fut Belaud, la gente beste,
Qui des piedz jusques à la teste
De telle beauté fut pourveu,
56 Que son pareil on n'a point veu.
O quel malheur! ô quelle perte,
Qui ne peult estre recouverte!
O quel dueil mon ame en reçoit!
60 Vray'ment la mort, bien qu'elle soit
Plus fiere qu'un ours, l'inhumaine,
Si de voir elle eust pris la peine
Un tel chat, son cueur endurcy
64 En eust eu, ce croy-je, mercy:
Et maintenant ma triste vie
Ne hayroit de vivre l'envie.
  Mais la cruelle n'avoit pas
68 Gousté les follastres esbas
De mon Belaud, ny la souplesse
De sa gaillarde gentillesse:
Soit qu'il sautast, soit qu'il gratast,
72 Soit qu'il tournast ou voltigeast
D'un tour de chat, ou soit encores
Qu'il prinst un rat, & or' & ores
Le relaschant pour quelque temps
76 S'en donnast mille passetemps.
Soit que d'une façon gaillarde
Avec sa patte fretillarde
Il se frottast le musequin,
80 Ou soit que ce petit coquin
Privé sautelast sur ma couche,
Ou soit qu'il ravist de ma bouche
La viande sans m'outrager,
84 Alors qu'il me voyoit manger,
Soit qu'il feist en diverses guises
Mille autres telles mignardises.
  Mon-dieu, quel passetemps c'estoit
88 Quand ce Belaud vire-voltait
Follastre autour d'une pelote!
Quel plaisir, quand sa teste sotte

Suyvant sa queuë en mille tours,
92 D'un rouet imitoit le cours!
Ou quand assis sur le derriere
Il en faisoit une jartiere,
Et monstrant l'estomac velu
96 De panne blanche crespelu,
Sembloit, tant sa trongne estoit bonne,
Quelque docteur de la Sorbonne!
Ou quand alors qu'on l'animoit,
100 A coups de patte il escrimoit,
Et puis appaisoit sa cholere
Tout soudain qu'on luy faisoit chere.
    Voyla, Magny, les passetemps
104 Ou Belaud employoit son temps.
N'est il pas bien à plaindre donques?
Au demeurant tu ne vis onques
Chat plus addroit, ny mieulx appris,
108 . A combattre rats & souris.
    Belaud sçavoit mille manieres
De les surprendre en leurs tesnieres,
Et lors leur falloit bien trouver
112 Plus d'un pertuis, pour se sauver:
Car onques rat, tant fust il viste,
Ne se vit sauver à la fuyte
Devant Belaud. Au demeurant,
116 Belaud n'estoit pas ignorant:
Il sçavoit bien, tant fut traictable,
Prendre la chair dessus la table,
J'entens, quand on luy presentoit,
120 Car autrement il vous grattoit,
Et avec la patte friande
De loing muguetoit la viande.
    Belaud n'estoit point mal-plaisant,
124 Belaud n'estoit point mal-faisant,
Et ne feit onq' plus grand dommage
Que de manger un vieux frommage,
Une linotte & un pinson,
128 Qui le faschoient de leur chanson.
Mais quoy, Magny? nous mesmes hommes
Parfaicts de tous poincts nous ne sommes.
    Belaud n'estoit point de ces chats
132 Qui nuict & jour vont au pourchas,

N'ayant soucy que de leur panse:
Il ne faisoit si grand' despense,
Mais estoit sobre à son repas,
136   Et ne mangeoit que par compas.
            Aussi n'estoit-ce sa nature
De faire par tout son ordure,
Comme un tas de chats, qui ne font
140   Que gaster tout par ou ilz vont:
Car Belaud, la gentille beste,
Si de quelque acte moins qu'honneste
Contrainct possible il eust esté,
144   Avoit bien ceste honnesteté
De cacher dessous de la cendre
Ce qu'il estoit contrainct de rendre.
            Belaud me servoit de joüet.
148   Belaud ne filoit au roüet,
Grommelant une letanie
De longue & fascheuse harmonie,
Ains se plaignoit mignardement
152   D'un enfantin myaudement.
            Belaud (que j'ayë souvenance)
Ne me feit onq' plus grand' offense
Que de me réveiller la nuict,
156   Quand il entr'oyoit quelque bruit
De rats qui rongeoient ma paillasse:
Car lors il leur donnoit la chasse,
Et si dextrement les happoit,
160   Que jamais un n'en eschappoit.
            Mais, las, depuis que ceste fiere
Tua de sa dextre meurtriere
La seure garde de mon corps,
164   Plus en seureté je ne dors,
Et or', ô douleurs nompareilles!
Les rats me mangent les oreilles:
Mesmes tous les vers que j'escris
168   Sont rongez de rats & souris.
            Vray'ment les Dieux sont pitoyables
Aux pauvres humains miserables,
Tousjours leurs annonçant leurs maulx
172   Soit par la mort des animaulx,
Ou soit par quelque autre presage,
Des cieux le plus certain message.

Le jour que la sœur de Cloton
176   Ravit mon petit Peloton,
Je dis, j'en ay bien souvenance,
Que quelque maligne influence
Menassoit mon chef de la hault,
180   Et c'estoit la mort de Belaud:
Car quelle plus grande tempeste
Me pouvoit fouldroyer la teste?
    Belaud estoit mon cher mignon,
184   Belaud estoit mon compagnon
A la chambre, au lict, à la table,
Belaud estoit plus accointable
Que n'est un petit chien friand,
188   Et de nuict n'alloit point criand
Comme ces gros marcoux terribles,
En longs miaudemens horribles:
Aussi le petit mitouard
192   N'entra jamais en matouard:
Et en Belaud, quelle disgrace!
De Belaud s'est perdu la race.
    Que pleust à Dieu, petit Belon,
196   Que j'eusse l'esprit assez bon,
De pouvoir en quelque beau style
Blasonner ta grace gentile,
D'un vers aussi mignard que toy:
200   Belaud je te promets ma foy
Que tu vivrois, tant que sur terre
Les chats aux rats feront la guerre.

XCVIII

EPITAPHE DE L'ABBÉ BONNET

Cy gist Bonnet, qui tout sçavoit,
Bonnet, qui la prattique avoit
De tous les secrets de nature,
4   Dont il parloit à l'aventure,
Car il eut si subtil esprit
Qu'onq' il n'en leut un seul escript.
    Bonnet ne leut onq' en sa vie
8   Un seul mot de philosophie,
Et si en sçavoit, ce dit-on,

Plus qu'Aristote ny Platon.
Bonnet fut un Docteur sans tiltre,
12 Sans loy, paragraphe & chapitre.
Bonnet avoit leu tous autheurs,
Fors poëtes & orateurs:
D'histoires & mathematiques,
16 Et telles sciences antiques,
Il s'en moquoit: au demeurant,
De rien il n'estoit ignorant.
Mais sa science principale
20 Estoit une occulte Caballe,
Qui n'avoit rien de defendu,
Car on n'y eust rien entendu.
Bonnet entendoit la Magie
24 Aussi bien que l'Astrologie:
Bonnet le futur predisoit,
Et de tout presages faisoit
Sur mutations de provinces,
28 Sur guerres & sur morts de princes:
Mais il n'eut onques le sçavoir
De pouvoir la sienne prevoir.
Bonnet sçeut la langue Hebraïque
32 Aussi bien que la Caldaïque,
Mais en Latin le bon Abbé
N'y entendoit ny A ny B.
Bonnet avoit mis en usage
36 Un barragouin de langage
Entremeslé d'Italien,
De François & Savoysien.
Bonnet fut de l'Academie
40 De ceulx qui souflent l'alchumie,
Et avoit souflé tout son bien,
Pour multiplier tout en rien.
Bonnet sçavoit donner au verre
44 La couleur d'une belle pierre:
Bonnet sçavoit un grand thresor,
Bonnet sçavoit un fleuve d'or,
Et avoit trouvé des minieres
48 De metaulx de toutes manieres.
Bonnet avoit deux pleins tonneaux
De bagues, de pierres, d'anneaux,
D'or en masse, & parloit sans cesse

52   De ses biens & de sa richesse.
      Bonnet estoit de tous mestiers,
      Bonnet frequentoit les monstiers,
      Et tousjours barbottoit des levres:
56   Bonnet sçavoit guerir des fiebvres
      Par billets au col attachez:
      Bonnet detestoit les pechez,
      Mais en proces & playdorie
60   C'estoit une droitte Furie.
      Bonnet fut cholere & mutin,
      Bonnet resembloit un Lutin,
      Qui va, qui tourne, qui tracasse
64   Toute la nuict parmy la place.
        Bonnet portoit barbe de chat,
      Bonnet estoit de poil de rat,
      Bonnet fut de moyen corsage,
68   Bonnet estoit rouge en visage,
      Avecques un œil de furet,
      Et sec comme un haran soret:
      Bonnet eut la teste pointuë,
72   Et le col comme une tortuë.
        Bonnet s'accoustroit tous les jours
      De deux soutanes de velours,
      Et ne changeoit point de vesture
76   Pour le chault ny pour la froidure.
      Bonnet estoit tousjours croté
      En hyver, & poudreux l'æsté:
      Et tousjours traynoit par la ruë
80   Quelque semelle décousuë.
        Bonnet, soit qu'il plust ou feist beau,
      Portoit tousjours un vieux chappeau,
      Et ne porta', tant fust grand' feste,
84   Qu'apres sa mort bonnet en teste.
      Bref, ce Bonnet fut un Bonnet
      Qui jamais ne porta bonnet.
        Bonnet alloit sur une mule
88   Aussi vieille que pape Jule,
      Accompagné d'un gros vallet
      Tousjours crotté jusqu'au collet,
      Avec la bride & couverture
92   Digne d'une telle monture.
        Bonnet pour la chambre vestoit

Une chamarre, qui estoit
De peau de loup. Quant à sa table,
96   Il usoit pour mets delectable
D'oignons tous cruds & de porreaux,
Et tousjours il sentoit les aulx:
Les aulx estoient le musq' & l'ambre
100   Dont Bonnet parfumoit sa chambre.
Bonnet beuvoit grec & latin,
Bonnet s'enyvroit au matin
Pour tout le jour, & apres boire
104   Bonnet s'en vouloit faire croyre.
      Bonnet en tout se cognoissoit,
Bonnet de tous maulx guerissoit,
Et si n'usoit que d'eau de vie:
108   Mais la mort, qui en eut envie,
Tellement ses forces ravit,
Que son eau rien ne luy servit.
      Bonnet faisoit mille trafiques,
112   Bonnet sçavoit mille prattiques
En proces: & les plus famez
De ces courtisans affamez,
En matiere de benefices
116   Pres de luy n'estoient que novices.
      Pour bien emboucher un tesmoing,
Et pour bien s'ayder au besoing
D'une vieille lettre authentique,
120   Pour trouver quelque tiltre antique,
Pour rendre un proces eternel,
Pour faire un civil criminel,
Et pour donner une traverse
124   Au droit de sa partie adverse,
Pour estonner de son caquet
Un juge, une court, un parquet,
Pour faire une importune instance,
128   Pour appeller d'une sentence,
Pour cognoistre cela qui poingt,
Et pour soudain prendre le poinct
De quelque matiere profonde,
132   Il n'estoit qu'un Bonnet au monde.
      Vray est qu'on luy feit maint exces,
Mais il gaigna tous ses proces:
Et fut Bonnet tant habile homme,

136 Qu'onq' ne perdit en court de Rome,
Ou fust à droit, ou fust à tort,
Proces, si-non contre la mort:
Dont encores il se lamente
140 (Ce croy-je) devant Rhadamante:
Mais Bonnet aura beau crier,
S'il peut Rhadamante plier.

XCIX

A BERTRAN BERGIER
POËTE DITHYRAMBJQUE

Pour avoir songé en Parnase,
Et humé de l'eau de Pegase,
Ascree en un moment fut faict
4 De bouvier poëte parfaict:

Montrant que la seule nature
Sans art, sans travail & sans cure
Fait naistre le poëte, avant
8 Qu'il ayt songé d'estre sçavant.

Bergier, qui as l'experience
De ceste gaillarde science,
Ce qu'Ascree a chanté de soy,
12 Tu le peulx bien chanter de toy.

Et plus: car sans l'eau crystaline
De la fonteine Cabaline,
Et sans le mont deux fois cornu
16 Tu es poëte devenu.

Ton ame estant eguillonnee
D'une fureur Apollinee,
Te feit, & ne sçait-on comment,
20 Naistre poëte en un moment.

Ta bouche, des Dieux interprete,
Sans mascher le laurier prophete,
Nous découvre les haults secrets
24 De leurs mysteres plus sacrez.
I

Tu ne prins onques fantasie
De lire aucune poësie,
Soit de ce temps, soit de jadis,
28   Et si fais des vers plus que dix.

Tu ne sçais que c'est de mesures,
D'apostrophes, ny de cæsures,
Ny de ces preceptes divers
32   Qui monstrent à faire des vers.

Aussi les vers du temps d'Orphee,
D'Homere, Hesiode & Musee,
Ne venoient d'art, mais seulement
36   D'un franc naturel mouvement.

Les Bergiers, avec leurs musettes,
Gardans leurs brebis camusettes
Premiers inventerent les sons
40   De ces poëtiques chansons.

Depuis geinant tel exercice
Soubs un miserable artifice,
Ce qu'avoient de bon les premiers
44   Fut corrompu par les derniers.

De la vindrent ces *Eneïdes*,
Et ces fascheuses *Thebaïdes*,
Ou n'y a vers sur qui ses dois
48   On n'ayt rongé plus de cent fois.

Mais toy Bergier de franc courage,
Qui tiens encor du premier aage,
D'un tel mords tu n'as point bridé
52   Ton esprit librement guidé:

Ains comme on void dans la carriere
Lors qu'on débboucle la barriere,
Le cheval au cours s'elancer,
56   Pour ses compaignons devancer,

Ta Muse de fureur guidee,
Volant à course débridee,
A laissé loing derriere soy
60   Ceulx qui sont partis devant toy.

D'un cours plus leger que la foudre
Tu leur as mis aux yeux la poudre,
Nous monstrant d'un trac non batu
64   Le vray sentier de la vertu.

Premier tu feis des dithyrambes,
Lesquelz n'avoient ny pieds ny jambes,
Ains comme balles, d'un grand sault
68   Bondissoient en bas & en hault.

Tu dis maintes gayes sornettes,
Sur le bruit que font les sonnettes,
Accordant au vol des oyseaux,
72   Les horloges & leurs appeaux.

Apres en rimes heroiques
Tu feis de gros vers bedonniques,
Puis en d'autres vers plus petis
76   Tu feis des hachi-gigotis.

Ainsi nous oyons dans Virgile
Galoper le coursier agile,
Et les vers d'Homere exprimer
80   Le flo-flotement de la mer.

Que diray-je des autres graces,
Que les Dieux comme à pleines tasses
Ont versé dessus toy, à fin
84   D'en faire un chef d'œuvre divin?

Tu as au chef tant de cervelle,
Qu'une autre Minerve nouvelle
Pourroit naistre de ton cerveau,
88   Comme d'un Jupiter nouveau.

Mais ceste barbe venerable,
Mais ce grave port honorable,
Qui d'auguste a je ne sçay quoy,
92   Ne sont-ilz pas digne[s] d'un Roy?

Si les Roys avoient cognoissance
De toy & de ta suffisance,
Sans toy ils ne prendroient repas,
96   Et sans toy ne feroient un pas.

Car quand il te plaist de bien dire,
Tu dis mille bons mots pour rire,
Serenant de ton front joyeux
100   Tout soing & chagrin ennuieux.

C

LA VIEILLE COVRTISANNE

. . . .
Et puis voicy, pour m'achever de peindre,
Celle que plus les Dames doivent craindre,
Sur un baston marchant à pas comptez,
460   Dame Vieillesse aux cheveux argentez:
Qui ravissant d'une main larronnesse
Ce qui restoit encor de ma jeunesse,
Ne m'a laissé que la gravelle aux reins,
464   La goutte aux pieds, & les galles aux mains,
La toux aux flancs, la micraine à la teste,
Et à l'oreille une sourde tempeste.
De ce beau chef tout l'honneur est esteinct,
468   Ce beau visage a changé son beau teinct
En teinct de mort: & ceste bouche blesme,
Dessus ses bords a peincte la mort mesme.
Ces deux beaux yeux, jadis flambeaux d'amour,
472   Se sont cachez de peur de voir le jour,
Et pour pleurer leurs fautes & mes peines,
Sont de flambeaux convertis en fonteines.
Je ne puis plus ny sentir ny gouster,
476   Plus ne me plaist les doux sons escouter,
Le sens me fault, & l'esprit qui me laisse,
Plus que le corps se sent de la vieillesse.
J'ay oublié tout cela qu'autrefois
480   J'avoy apprins du luth & de la voix,
J'ay oublié tous mes bons mots pour rire,
Je ne sçay plus que me plaindre & mesdire,
Je ne sçay plus que tousser & cracher
484   Fascher autruy, & d'autruy me fascher.
Quant au mestier dont il fault que je vive,
C'est de filler, ou laver la lessive,
Faire traffiq' de quelques vieux drappeaux,
488   Composer fards, contrefaire des eaux,

Vendre des fruicts, des herbes, des chandelles
Aux jours de feste, & crier les chambelles.
    Voyla l'estat ou je gaigne mon pain,
492 Pour ma vieillesse armer contre la faim,
Et pour payer une chambre locande,
Ce qui est or' ma despense plus grande.
Au demeurant, je ne discours icy
496 Par le menu le chagrin, le soucy,
Et le soubson, que la vieillesse cache
Dedans son sein: le mal qui plus me fasche,
Et qui me faict cent fois le jour perir,
500 C'est de vouloir & ne pouvoir mourir.
    O que je suis differente de celle
Que j'estois lors, quand jeune, riche & belle,
Un escadron j'avoy de tous costez
504 De courtisans pompeusement montez,
M'accompagnant ainsi qu'une princesse,
Fust au matin, quand j'allois à la messe,
Ou fust au soir, alors qu'il me plaisoit
508 De me trouver ou le bal se faisoit!
    Las, maintenant un chacun me desdaigne,
Et seulement pauvreté m'accompagne:
Ceux que jadis desdaigner je souloy,
512 M'appellent vieille, & se mocquent de moy:
Et ceux dont plus j'estoy favorisee,
Sifflent sur moy d'une longue risee:
Se vergongnans de m'avoir voulu bien,
516 Pour rien en moy ne cognoistre du mien.
    Jusques icy a couru ma fortune,
Selon le temps adverse ou opportune.
Mais, ô chetive! encor n'est-ce le poinct
520 Qui plus au vif le courage me poingt:
Le seul object de ma complainte amere,
C'est, c'est l'ennuy de me veoir pauvre & mere,
Non d'un qui soit d'aage pour se nourrir,
524 Ou qui me puisse au besoing secourir,
Mais d'une fille encor jeune & debile,
Qui sur les bras m'est en charge inutile,
Et sera, las, si cest astre inhumain
528 Regne long temps sus le climat Romain.
J'ay veu Leon, delices de son aage,
J'ay veu Clement de ce mesme lignage,

J'ay veu encor ce bon Paule ancien,
532 Premier honneur du sang Farnesien:
Apres cestuy j'ay veu Jules troisieme,
Ores je voy le grand Paule quatrieme.
     De tous ceux-là je me doy contenter:
536 De cestui-cy je me veulx lamenter,
Pour avoir mis d'une loy rigoreuse
Dessoubs les pieds la franchise amoureuse,
Abolissant d'un edict defendeur
540 Ce qui estoit de Rome la grandeur.

 .   .   .   .

     O temps! ô meurs! ô malheureuse annee!
O triste regne! ô Rome infortunee!
N'estoit-ce assez, que le discord mutin
552 T'eust faict du monde un publique butin,
Et d'avoir veu sur ta rive Latine
Si longuement la guerre & la famine,
Si malheureuse encor tu ne perdois
556 La liberté: liberté que tu dois
Plus regretter que tes palais antiques,
Dont nous voyons les poudreuses reliques.
     Fille, qui m'es plus chere que mes yeux,
560 Helas, pourquoy t'ont faict naistre les cieux
Soubs un tel siecle? ou pourquoy si durable
Ay-je vescu, pour te veoir miserable?
Helas, fault-il que ce beau chef doré,
564 Ces deux beaux yeux, ce pourpre coloré,
Ce front, ce nez, ceste bouche divine,
Et ce beau corps, qui des Dieux estoit digne
Soit le butin, non point d'un courtisan,
568 Mais d'un faquin ou d'un pauvre artisan?
     Pour cela donc d'une main si soigneuse
T'ay-je eslevee? ô fille malheureuse,
Si tu devois par telle indignité
572 Perdre la fleur de ta virginité!
Estoit-ce là ceste belle jeunesse,
Dont je faisois mon baston de vieillesse?
Estoit-ce ainsi que mes travaulx passez
576 Devoient un jour estre recompensez?
O ciel cruel, estoiles conjurees,
N'avois-je assez de peines endurees,
Si en ma fille, en cest aage ou je suis,

580 Je ne voyois renaistre mes ennuis?
   Je n'en puis plus, & mes pleurs qui s'espandent
   A grands ruisseaux, le parler me defendent.
   Donques priant ceux là qui me liront,
584 Et de mes pleurs (peult-estre) se riront,
   De m'excuser, si par trop de langage
   (Vice commun à celles de mon aage)
   J'ay discouru & mon mal & mon bien,
588 Je feray fin: que peusse-je aussi bien,
   Pour n'estre plus à ces maulx asservie,
   Comme à mes pleurs, mettre fin à ma vie!

CI. METAMORPHOSE D'VNE ROSE

   Comme sur l'arbre sec la veufve tourterelle
   Regrette ses amours d'une triste querelle,
   Ainsi de mon mary le trespas gemissant,
4 En pleurs je consumois mon aage languissant:

   Quand pour chasser de moy ceste tristesse enclose,
   Mon destin consentit que je devinsse Rose,
   Qui d'un poignant hallier se herisse à l'entour,
8 Pour faire resistance aux assaults de l'Amour.

   Je suis, comme j'estois, d'odeur naïve & franche,
   Mes bras sont transformez en épineuse branche,
   Mes piedz en tige verd, & tout le demeurant
12 De mon corps est changé en Rosier bien fleurant.

   Les plis de mon habit sont écailleuses poinctes,
   Qui en rondeur egalle autour de moy sont joinctes:
   Et ce qui entr'ouvert monstre un peu de rougeur,
16 Imite de mon ris la premiere doulceur.

   Mes cheveulx sont changez en fueilles qui verdoyent,
   Et ces petis rayons, qui vivement flamboyent
   Au centre de ma Rose, imitent de mes yeux
20 Les feuz jadis égaulx à deux flammes des cieulx.

   La beauté de mon teinct à l'Aurore pareille
   N'a du sang de Venus pris sa couleur vermeille,
   Mais de ceste rougeur que la pudicité
24 Imprime sur le front de la virginité.

Les graces, dont le ciel m'avoit favorisee,
Or' que Rose je suis, me servent de rosee:
Et l'honneur qui en moy a fleury si long temps,
28 S'y garde encor' entier d'un eternel primtemps.

La plus longue frescheur des roses est bornee
Par le cours naturel d'une seule journee:
Mais ceste gayeté qu'on voit en moy fleurir,
32 Par l'injure du temps ne pourra deperir.

A nul je ne defends ny l'odeur ny la veüe,
Mais si quelque indiscret vouloit à l'impourveuë
S'en approcher trop pres, il ne s'en iroit point
36 Sans esprouver comment ma chaste rigueur poingt.

Que nul n'espere donc de ravir ceste Rose,
Puis qu'au jardin d'honneur elle est si bien enclose:
Ou plus soingneusement elle est gardee encor'
40 Que du Dragon veillant n'estoient les pommes d'or.

Celuy qui la vertu a choisy pour sa guide,
Ce sera celuy seul qui en sera l'Alcide:
A luy seul j'ouvriray la porte du verger,
44 Ou heureux il pourra me cueillir sans danger.

Qu'autrement on n'espere en mon cueur faire breche:
Car je ne crains Amour, ny son arc, ny sa fléche:
J'esteins, comme il me plaist, son brandon furieux,
48 Les æles je luy couppe, & débende les yeux.

CII

HYMNE DE LA SVRDITÉ

A P. DE RONSARD VAND.

Je ne suis pas, Ronsard, si pauvre de raison,
De vouloir faire à toy de moy comparaison,
A toy, qui ne seroit un moindre sacrilege
4 Qu'aux Muses comparer des Pies le college,
A Minerve Aracné, Marsye au Delien,
Ou à nostre grand Prince un prince Italien.
   Bien ay-je, comme toy, suivy des mon enfance

8   Ce qui m'a plus acquis d'honneur que de chevance:
    Ceste saincte fureur qui, pour suyvre tes pas,
    M'a tousjours tenu loing du populaire bas,
    Loing de l'ambition, & loing de l'avarice,
12   Et loing d'oysiveté, des vices la nourrice,
    Aussi peu familiere aux soldats de Pallas,
    Comme elle est domestique aux prestres & prelats.
      Au reste, quoy que ceulx qui trop me favorisent,
16   Au pair de tes chansons les miennes authorisent,
    Disant, comme tu sçais, pour me mettre en avant,
    Que l'un est plus facile & l'autre plus sçavant,
    Si ma facilité semble avoir quelque grace,
20   Si ne suis-je pourtant enflé de telle audace,
    De la contre-peser avec ta gravité,
    Qui sçait à la doulceur mesler l'utilité.
      Tout ce que j'ay de bon, tout ce qu'en moy je prise,
24   C'est d'estre, comme toy, sans fraude & sans feintise,
    D'estre bon compaignon, d'estre à la bonne foy,
    Et d'estre, mon Ronsard, demy-sourd, comme toy;
    Demy-sourd, ô quel heur! pleust aux bons Dieux que
          j'eusse
28   Ce bon heur si entier, que du tout je le feusse.
      Je ne suis pas de ceux qui d'un vers triomphant
    Déguisent une mouche en forme d'Elephant,
    Et qui de leurs cerveaux couchent à toute reste,
32   Pour louer la folie ou pour louer la peste:
    Mais sans changer la blanche à la noire couleur,
    Et soubs nom de plaisir déguiser la douleur,
    Je diray qu'estre sourd (à qui la difference
36   Sçait du bien & du mal) n'est mal qu'en apparence.
      Nature aux animaulx a cinq sens ordonnez,
    Le gouster, le toucher, l'œil, l'oreille & le nez,
    Sans lesquels nostre corps seroit un corps de marbre,
40   Une roche, une souche, ou le tronc d'un viel arbre.
    Je laisse à discourir au jugement commun
    L'usage & difference & vertu d'un chacun,
    Lesquelz, pour presider en la part plus insigne,
44   Sont de plus grand service & qualité plus digne:
    Comme l'œil, le sentir, & ce nerf sinueux
    Qui par le labyrinth' d'un chemin tortueux,
    Le son de l'air frappé conduit en la partie,
48   Qui discourt sur cela, dont elle est avertie:

Le pertuis de l'ouye, & les trois petis os,
Qui sont à cest effect en noz temples enclos:
De quel sage artifice & necessaire usage
52   La nature a basty ce petit cartilage,
Qui de l'oreille estant le fidele portier,
Droit sur le petit trou du caverneux sentier
Bat eternellement, si d'une humeur épesse,
56   Qui pour sa grand' froideur resouldre ne se laisse,
Son bat continuel ne se treuve arresté,
D'ou vient ce fascheux mal, qu'on nomme Surdité:
Fascheux à l'ignorant, qui ne se fortifie
60   Des divines raisons de la philosophie.
      Je ne veulx estre icy de la secte de ceulx
Qui disent n'estre mal, tant soit-il angoisseux,
Fors celuy dont nostre ame est atteincte & saisie,
64   Et que tout autre mal n'est que par fantaisie.
Combien que le né sourd, & par tel vice exclus
Du sens qu'on dict acquis, ne s'en fasche non plus
(Comme lon peult juger) que d'estre né sans æles,
68   Ou n'égaller au cours les bestes plus isnelles,
En force les taureaux, les poissons au nager,
Ou de ne se pouvoir, comme un Dæmon, changer:
D'autant que le regret vient de la cognoissance
72   Du bien, du quel on a perdu la jouissance,
Et qu'on ne doit aucun estimer malheureux
Pour ne jouir du bien dont il n'est desireux,
Non plus qu'est un cheval ou autre beste telle,
76   Pour n'avoir, comme nous, la raison naturelle:
Si est-ce toutefois que pour l'homme estre né
Un animal docile, auquel est ordonné
Contre le naturel de chacune autre beste,
80   D'eslever, plus divin, aux estoilles sa teste:
Si par estre né sourd, il ne peult concevoir
Rien plus hault que cela que ses yeux peuvent voir,
Sans cognoistre celuy qui homme l'a faict naistre,
84   Malheureux je l'estime, or' qu'il ne le pense estre:
Aussi bien que lon dict (& nous tenons ce poinct)
N'estre plus grand malheur que cil de n'estre point.
      Mais cestuy-là, Ronsard, qui n'est sourd de nature,
88   Ains l'est par accident, s'il a par nourriture
Quelque sçavoir acquis, c'est un sourd animal,
Privé d'un peu de bien & de beaucoup de mal.

Car tout le bien qu'on peult recevoir par l'oreille,
92 Procede ou d'un doulx son, qui nostre esprit réveille,
Ou d'un plaisant propos, dont nostre entendement
Reçoit en l'escoutant quelque contentement.
      Or celuy qui est sourd, si tel default luy nie
96 Le plaisir qui provient d'une doulce armonie,
Aussi est il privé de sentir maintefois
L' ennuy d'un faulx accord, une mauvaise voix,
Un fascheux instrument, un bruit, une tempeste,
100 Une cloche, une forge, un rompement de teste,
Le bruit d'une charrete, & la doulce chanson
D'un asne, qui se plaingt en effroyable son.
      Et s'il ne peult gouster le plaisir delectable
104 Qu'on a d'un bon propos qui se tient à la table,
Aussi n'est il subject à l'importun caquet
D'un indocte prescheur ou d'un fascheux parquet,
Au babil d'une femme, au long prosne d'un prestre,
108 Au gronder d'un vallet, aux injures d'un maistre,
Au causer d'un bouffon, aux broquars d'une court,
Qui font cent fois le jour desirer d'estre sourd.
      Mais il est mal venu entre les damoizelles:
112 O bien heureux celuy qui n'a que faire d'elles,
Ny de leur entretien! car si de leurs bons mots
Il n'est participant, par faulte de propos,
Il ne s'estonne aussi & ne se mord la langue,
116 Rougissant d'avoir faict quelque sotte harangue.
      Mais il est soubsonneux, & tousjours dans son cueur
Se faict croire qu'il sert d'argument au moqueur:
Il ne le doit penser, s'il se pense habile homme,
120 Ains pour tel qu'il se croid, doit croire qu'on le nomme.
      Mais il n'est appellé au conseil des Seigneurs:
O que cher bien souvent s'achetent tels honneurs
De ceulx qui tels secrets dans leurs oreilles portent,
124 Quand par legereté de la bouche ilz leur sortent!
      Mais il est taciturne: ô bien heureux celuy
A qui le trop parler ne porte point d'ennuy,
Et qui a liberté de se taire à son aise,
128 Sans que son long silence à personne déplaise!
      Le parler toutefois entretient les amis,
Et nous est de nature à cest effect permis:
Et ne peult-on pas bien à ses amis escrire,
132 Voire mieulx à propos, ce qu'on ne leur peult dire?

Si est-ce un grand plaisir, dira quelque causeur,
D'entendre les discours de quelque beau diseur.
Mais il est trop plus grand de voir quelque beau livre,
136 Ou lors que nostre esprit du corps franc & delivre
Voyage hors de nous, & nous faict voir sans yeux
Les causes de nature, & les secrets des cieux:
Pour aux quelz penetrer, un philosophe sage
140 Voulut perdre des yeux le necessaire usage,
Pour ne voir rien qui peust son cerveau departir:
Et qui plus que le bruit peult l'esprit divertir?
La Surdité, Ronsard, seule t'a faict retraire
144 Des plaisirs de la court & du bas populaire,
Pour suyvre par un trac encores non battu
Ce penible sentier qui meine à la vertu.
Elle seule a tissu l'immortelle couronne
148 Du Myrte Paphien, qui ton chef environne:
Tu luy dois ton laurier, & la France luy doit
Qu'elle peult desormais, se vanter à bon droit
D'un Horace, & Pindare, & d'un Homere encore,
152 S'elle void ton Francus, ton Francus qu'elle adore
Pour ton nom seulement, & le bruit qui en court:
Dois-tu donques, Ronsard, te plaindre d'estre sourd?
O que tu es heureux, quand le long d'une rive,
156 Ou bien loing dans un bois à la perruque vive,
Tu vas, un livre au poing, meditant les doulx sons
Dont tu sçais animer tes divines chansons,
Sans que l'aboy d'un chien ou le cry d'une beste
160 Ou le bruit d'un torrent t'élourdisse la teste.
Quand ce doulx aiguillon si doulcement te poingt,
Je croy qu'alors, Ronsard, tu ne souhaites point
Ny le chant d'un oyseau ny l'eau d'une montagne,
164 Ayant avecques toy la Surdité compagne,
· Qui faict faire silence, & garde que le bruit
Ne te vienne empescher de ton aise le fruict.
Mais est-il harmonie en ce monde pareille
168 A celle qui se faict du tintin de l'oreille?
Lors qu'il nous semble ouir, non l'horreur d'un torrent,
Ains le son argentin d'un ruisseau murmurant,
Ou celuy d'un bassin, quand celuy qui l'escoute
172 S'endort au bruit de l'eau, qui tumbe goutte à goutte.
On dict qu'il n'est accord, tant soit melodieux,
Lequel puisse egaler la musique des Cieux,

Qui ne se laisse ouir en ceste terre basse,
176 D'autant que le fardeau de ceste lourde masse
Hebete noz esprits, qui par la Surdité
Sont faicts participans de la divinité.
Regarde donc, Ronsard, s'il y a melodie
180 Si doulce que le bruit d'une oreille essourdie,
Et si la Surdité par un double bienfaict
Ne recompense pas le mal qu'elle nous faict,
En quoy mesmes les Dieux, Déesse, elle resemble,
184 Qui nous versent l'amer & le doux tout ensemble.
O que j'ay de regret en la doulce saison,
Que je soulois regner paisible en ma maison,
Si sourd, que trois marteaux tumbans sur une masse
188 De fer estincelant, n'eussent rompu la glace
Qui me bouchoit l'ouyë, heureux, s'il en feut onc:
Las feusse-je aussi sourd, comme j'estois adonc!
Le bruit de cent vallets, qui mes flancz environnent,
192 Et qui soir & matin à mes oreilles tonnent,
Le devoir de la court, & l'entretien commun,
Dont il fault gouverner un fascheux importun,
Ne me fascheroit point: un crediteur moleste
196 (Race de gens, Ronsard, à craindre plus que peste)
Ne troubleroit aussi l'aise de mon repos,
Car, sourd, je n'entendrois ne luy ne ses propos.
Je n'orrois du Castel la fouldre & le tonnerre,
200 Je n'entendrois le bruit de tant de gens de guerre,
Et n'orrois dire mal de ce bon Pere Sainct
Dont ores sans raison toute Rome se plaingt,
Blasmant sa cruauté & sa grand' convoitise,
204 Qui ne craint (disent-ilz) aux despends de l'Eglise
Enrichir ses nepveus, & troubler sans propos
De la Chrestienté le publique repos.
Je n'orrois point blasmer la mauvaise conduite
208 De ceux qui tout le jour trainent une grand' suite
De braves courtisans, & pleins de vanité,
Voyant les ennemis autour de la cité,
Portent Mars en la bouche & la crainte dans l'ame:
212 Je n'orrois tout cela, & n'orrois donner blasme
A ceux qui nuict & jour dans leur chambre enfermez
Ayant à gouverner tant de soldats armez,
Font aux plus patiens perdre la patience,
216 Tant superbes ilz sont & chiches d'audience.

Je n'entendrois le cry du peuple lamentant
Qu'on voise sans propos ses maisons abbatant,
Qu'on le laisse au danger d'un sac épouentable
220 Et qu'on charge son doz d'un faiz insupportable.
O bien heureux celuy qui a receu des Dieux
Le don de Surdité! voire qui n'a point d'yeux,
Pour ne voir & n'ouir en ce siecle ou nous sommes
224 Ce qui doit offenser & les Dieux & les hommes.
　　Je te saluë, ô saincte & alme Surdité!
Qui pour throsne & palais de ta grand' majesté
T'es cavé bien avant soubs une roche dure
228 Un antre tapissé de mousse & de verdure:
Faisant d'un fort hallier son effroyable tour,
Ou les cheutes du Nil tempestent à l'entour.
　　Là se void le Silence assis à la main dextre,
232 Le doigt dessus la levre: assise à la senestre
Est la Melancholie au sourcil enfonsé:
L'Estude tenant l'œil sur le livre abbaissé
Se sied un peu plus bas: l'Ame imaginative,
236 Les yeux levez au ciel, se tient contemplative
Debout devant ta face: & là dedans le rond
D'un grand miroir d'acier te faict voir jusqu'au fond
Tout ce qui est au ciel, sur la terre & soubs l'onde,
240 Et ce qui est caché soubs la terre profonde:
Le grave Jugement dort dessus ton giron,
Et les Discours ællez volent à l'environ.
　　Donq', ô grand' Surdité, nourrice de sagesse,
244 Nourrice de raison, je te supply, Déesse,
Pour le loyer d'avoir ton merite vanté
Et d'avoir à ton loz ce Cantique chanté,
De m'estre favorable, & si quelqu'un enrage
248 De vouloir par envie à ton nom faire oultrage,
Qu'il puisse un jour sentir ta grande deité,
Pour sçavoir, comme moy, que c'est de Surdité.

CIII. LE POËTE COVRTISAN

Je ne veulx point icy du maistre d'Alexandre
Touchant l'art poëtiq' les preceptes t'apprendre:
Tu n'apprendras de moy comment joüer il fault
4 Les miseres des Roys dessus un eschafault:

Je ne t'enseigne l'art de l'humble comœdie,
Ny du Mëonien la Muse plus hardie:
Bref je ne montre icy d'un vers Horatien
8 Les vices & vertuz du poëme ancien:
Je ne depeins aussi le Poëte du Vide,
La court est mon autheur, mon exemple & ma guide.
Je te veulx peindre icy, comme un bon artisan,
12 De toutes ses couleurs l'Apollon Courtisan:
Ou la longueur sur tout il convient que je fuye,
Car de tout long ouvraige à la court on s'ennuye.
 Celuy donc qui est né (car il se fault tenter
16 Premier que lon se vienne à la court presenter)
A ce gentil mestier, il fault que de jeunesse
Aux ruses & façons de la court il se dresse.
Ce precepte est commun: car qui veult s'avancer,
20 A la court, de bonne heure il convient commencer.
 Je ne veulx que long temps à l'estude il pallisse,
Je ne veulx que resveur sur le livre il vieillisse,
Fueilletant studieux tous les soirs & matins
24 Les exemplaires Grecs & les autheurs Latins.
Ces exercices là font l'homme peu habile,
Le rendent catareux, maladif & debile,
Solitaire, facheux, taciturne & songeard,
28 Mais nostre courtisan est beaucoup plus gaillard.
Pour un vers allonger ses ongles il ne ronge,
Il ne frappe sa table, il ne resve, il ne songe,
Se brouillant le cerveau de pensemens divers,
32 Pour tirer de sa teste un miserable vers,
Qui ne rapporte, ingrat, qu'une longue risée
Par tout où l'ignorance est plus authorisée.
 Toy donc' qui as choisi le chemin le plus court
36 Pour estre mis au ranc des sçavants de la court,
Sans maçher le laurier, ny sans prendre la peine
De songer en Parnasse, & boire à la fontaine
Que le cheval volant de son pied fist saillir,
40 Faisant ce que je dy, tu ne pourras faillir.
 Je veulx en premier lieu que sans suivre la trace
(Comme font quelques uns) d'un Pindare & Horace,
Et sans vouloir comme eux voler si haultement,
44 Ton simple naturel tu suives seulement.
Ce procés tant mené, & qui encore dure,
Lequel des deux vault mieux, ou l'art, ou la Nature,

En matiere de vers, à la court est vuidé:
48 Car il suffit icy que tu soyes guidé
Par le seul naturel, sans art & sans doctrine,
Fors cet art qui apprend à faire bonne mine.
Car un petit sonnet qui n'ha rien que le son,
52 Un dixain à propos, ou bien une chanson,
Un rondeau bien troussé, avec' une ballade
(Du temps qu'elle couroit) vault mieulx qu'une *Iliade*.
Laisse moy donques là ces Latins & Gregeoys,
56 Qui ne servent de rien au poëte François,
Et soit la seule court ton Virgile & Homere,
Puis qu'elle est (comme on dict) des bons esprits la mere.
La court te fournira d'arguments suffisants,
60 Et seras estimé entre les mieulx disants,
Non comme ces resveurs, qui rougissent de honte
Fors entre les sçavants, desquelz on ne fait compte.
    Or si les grands seigneurs tu veulx gratifier,
64 Arguments à propoz il te fault espier:
Comme quelque victoire, ou quelque ville prise,
Quelque nopce ou festin, ou bien quelque entreprise
De masque ou de tournoy: avoir force desseings,
68 Desquelz à ceste fin tes coffres seront pleins.
    Je veulx qu'aux grands seigneurs tu donnes des devises,
Je veulx que tes chansons en musique soient mises,
Et à fin que les grands parlent souvent de toy,
72 Je veulx que lon les chante en la chambre du Roy.
Un sonnet à propoz, un petit epigramme
En faveur d'un grand Prince, ou de quelque grand'Dame,
Ne sera pas mauvais; mais garde toy d'user
76 De mots durs ou nouveaulx, qui puissent amuser
Tant soit peu le lisant: car la doulceur du stile
Fait que l'indocte vers aux oreilles distille:
Et ne fault s'enquerir s'il est bien ou mal fait,
80 Car le vers plus coulant est le vers plus parfaict.
    Quelque nouveau poëte à la court se presente:
Je veulx qu'à l'aborder finement on le tente.
Car s'il est ignorant, tu sçauras bien choisir
84 Lieu & temps à propoz, pour en donner plaisir.
Tu produiras par tout ceste beste, & en somme,
Aux despens d'un tel sot, tu seras galland homme.
    S'il est homme sçavant, il te fault dextrement
88 Le mener par le néz, le loüer sobrement,

Et d'un petit soubriz & branlement de teste
Devant les grands seigneurs luy faire quelque feste:
Le presenter au Roy, & dire qu'il fait bien,
92 Et qu'il ha merité qu'on luy face du bien.
Ainsi tenant tousjours ce pauvre homme soubz bride,
Tu te feras valoir, en luy servant de guide:
Et combien que tu soys d'envie époinçonné,
96 Tu ne seras pour tel toutefois soubsonné.
    Je te veulx enseigner un aultre poinct notable:
Pour ce que de la court l'eschole c'est la table,
Si tu veulx promptement en honneur parvenir,
100 C'est ou plus saigement il te fault maintenir
Il fault avoir tousjours le petit mot pour rire,
Il fault des lieux communs, qu'à tous propoz on tire,
Passer ce qu'on ne sçait, & se montrer sçavant
104 En ce que lon ha leu deux ou trois soirs devant.
    Mais qui des grands seigneurs veult acquerir la grace,
Il ne fault que les vers seulement il embrasse:
Il fault d'aultres propoz son stile déguiser,
108 Et ne leur fault tousjours des lettres deviser.
Bref, pour estre en cest art des premiers de ton age
Si tu veulx finement joüer ton personnage,
Entre les Courtisans du sçavant tu feras,
112 Et entre les sçavants courtisan tu seras.
    Pour ce te fault choisir matiere convenable,
Qui rende son autheur aux lecteurs agreable,
Et qui de leur plaisir t'apporte quelque fruict.
116 Encores pourras tu faire courir le bruit,
Que si tu n'en avois commandement du Prince,
Tu ne l'exposerois aux yeulx de ta province,
Ains te contenterois de le tenir secret:
120 Car ce que tu en fais est à ton grand regret.
    Et à la verité, la ruse coustumiere,
Et la meilleure, c'est rien ne mettre en lumiere:
Ains jugeant librement des œuvres d'un chacun,
124 Ne se rendre subject au jugement d'aulcun,
De peur que quelque fol te rende la pareille,
S'il gaigne comme toy des grands Princes l'oreille.
    Tel estoit de son temps le premier estimé,
128 Duquel si on eust leu quelque ouvraige imprimé,
Il eust renouvelé, peut estre, la risée
De la montaigne enceinte: & sa Muse prisée

K

Si hault au paravant, eust perdu (comme on dict)
132 La reputation qu'on luy donne à credit.
      Retien donques ce poinct, & si tu m'en veulx croire,
      Au jugement commun ne hasarde ta gloire.
      Mais saige sois content du jugement de ceulx
136 Lesquelz trouvent tout bon, ausquelz plaire tu veux,
      Qui peuvent t'avancer en estats & offices,
      Qui te peuvent donner les riches benefices,
      Non ce vent populaire, & ce frivole bruit
140 Qui de beaucoup de peine apporte peu de fruict.
      Ce faisant, tu tiendras le lieu d'un Aristarque,
      Et entre les sçavants seras comme un Monarque.
      Tu seras bien venu entre les grands seigneurs,
144 Desquelz tu recevras les biens & les honneurs,
      Et non la pauvreté, des Muses l'heritage,
      Laquelle est à ceulx là reservée en partage,
      Qui dédaignant la court, facheux & malplaisans,
148 Pour allonger leur gloire, accourcissent leurs ans.

CIV. A JACQVES GREVIN

Comme celuy qui a de la Course poudreuse,
Ou de la Luyte huylee, ou du Disque eslancé,
Ou du Ceste plombé de cuir entrelacé,
4   Rapporté mainte palme en sa jeunesse heureuse,

Regarde, en regrettant sa force vigoureuse,
Les jeunes s'exercer, & ja vieil & cassé,
Par un doux souvenir qu'il ha du temps passé,
8   Resveille dans son cueur sa vertu genereuse:

Ainsi voyant (Grévin) prochain de ma vieillesse,
Au pied de ton Olimpe exercer ta jeunesse,
Je souspire le temps que d'un pareil esmoy

12   Je chantoy mon Olive, & resens en mon ame
Je ne sçay quelle ardeur de ma premiere flâme
Qui me fait souhaiter d'estre tel comme toy.

CV

Voyez, Amants, comment ce petit Dieu
Traicte noz cueurs. Sur la fleur de mon âge,
Amour tout seul regnoit en mon courage,
4   Et n'y avoit la raison point de lieu.

Puis quand cest âge, augmentant peu à peu,
Vint sur ce poinct ou l'homme est le plus sage,
D'autant qu'en moy croissoit sens & usage,
8   D'autant aussi decroissoit ce doux feu.

Ores mes ans tendans sur la vieillesse,
(Voyez comment la raison nous delaisse)
Plus que jamais je sens ce feu d'Amour.

12   L'ombre au matin nous voyons ainsi croistre,
Sur le midy plus petite apparoistre,
Puis s'augmenter devers la fin du jour.

CVI. DES FEVZ DE JOIE

FAICTS A ROME, L'AN 1554

Comme Neron chantoit le feu de Troye,
Joyeux de voir du sommet d'une tour
Rome brusler, & roüer tout au tour
4   Des grands palais la flamme qui ondoye:

Rome qui doit encore estre la proye
D'autres Nerons, Rome qui doit un jour
D'un autre sac voir perdre son sejour,
8   En faict desja les sanglants feuz de joye.

La miserable avec ses propres mains
Attize, helas, par ses cantons Romains
Les mesmes feuz qui luy feront la guerre:

12   Feuz allumez des torches du tombeau
Pour celebrer le nuptial flambeau
Qui doit brusler l'Espaigne & l'Angleterre.

CVII. A MONSIEVR TYRAQVEAV

CONS EN PARLEMENT

Pallas, Lucine & les trois Destinees,
Par leur sçavoir, par leurs mains, par leurs sorts,
Voulant combler de leurs plus beaux thresors
4   Ton nom, ta race & tes forces bien nees,

D'esprit, de sang, d'humeurs bien ordonnees,
Feirent en toy trois merveilleux accords,
Ornant ta plume & ta femme & ton corps
8   D'œuvres, d'enfants & de longues annees.

Heureux vieillard, heureux, si tu l'entens,
Riche d'escripts, de famille & de temps,
Contente toy: car le ciel, qui t'honore

12   De cent vertus pour ton siecle estonner,
T'a mieux donné que ne sçauroit donner
Pallas, Lucine & les trois Sœurs encore.

CVIII. A I. ANT. DE BAÏF

Bravime esprit, sur tous excellentime,
Qui mesprisant ces vanimes abois,
As estonné d'une hautime voix
4   De sçavantieurs la trompe bruyantime:

De tes doux vers le style coulantime,
Tant estimé par les doctieurs François,
Justimement ordonne que tu sois,
8   Pour ton sçavoir, à tous reverendime.

Nul mieux de toy, gentillime Poëte,
Heur que chascun grandimement souhaite,
Façonne un vers doulcimement naïf:

12   Et nul de toy hardieurement en France
Va dechassant l'indoctime ignorance,
Docte, doctieur & doctime Baïf.

CIX. A M. LE SÇEVE LYONNOIS

Gentil esprit, ornement de la France,
Qui d'Apollon sainctement inspiré
T'es le premier du peuple retiré
4   Loing du chemin tracé par l'ignorance,

Sçeve divin, dont l'heureuse naissance
N'a moins encor' son Rosne decoré,
Que du Thuscan le fleuve est honnoré
8   Du tronc qui prent à son bord accroissance,

Reçoy le vœu qu'un devot Angevin,
Enamouré de ton esprit divin,
Laissant la France, à ta grandeur dedie:

12   Ainsi tousjours le Rosne impetueux,
Ainsi la Sône au sein non fluctueux
Sonne tousjours & Sçeve & sa Delie.

CX. SVR LA MORT
DE LA JEVNESSE FRANÇOISE

Que n'ay-je encor' la voix qui plus hault tonne
Le bruit de ceux qui d'un cœur indonté,
Pour maintenir la Grecque liberté,
4   Firent rougir les champs de Marathonne?

Tout ce grand rond, que la mer environne,
Oyroit sonner par l'immortalité
La hardiesse & la fidelité,
8   Qui ont servi la Françoise couronne.

Jeunesse heureuse, heureuse pour jamais,
Nous, noz enfans, noz nepveus, desormais
Te nommerons l'honneur de ta province,

12   Et si dirons que ton sang espandu
Ne pouvoit pas estre mieux despendu
Qu'en soustenant le droict d'un si bon Prince.

CXI.   AMPLE DISCOVRS AV ROY
SVR LE FAICT DES QVATRE ESTATS
DV ROYAVME DE FRANCE

Sire, les Anciens, entre tant d'autres choses,
Qui sont en leurs escripts divinement encloses,
Trois genres nous ont faict de tout gouvernement,
4   Lesquelz ilz ont nommez de ce qui proprement
Convenoit à chacun: le premier, populaire,
Pource que tout passoit par les voix du vulgaire:
Le second, Seigneurie, où plus estoient prisez
8   Ceulx que le peuple avoit le plus auctorisez:
Le tiers ils ont nommé ceste unique puissance,
Par laquelle à un seul tous font obeissance.
Ilz nous ont de chacun l'exemple proposé,
12   Et si ont à chacun son contraire opposé,
Comme sa maladie & sa peste fatale.
Mais, Sire, de ces trois la puissance Royale
Est la plus accomplie, & plus durable aussi,

16 Comme venant de Dieu, qu'elle figure icy
Par sa triple unité: car la premiere sorte,
La seconde, & la tierce, en un corps se rapporte,
Dont le Prince est le chef. Or si de l'unité
20 Descrire je voulois la grand' divinité,
Et la grandeur des Roys, dessus telle matiere
Je ferois, comme on dit, une *Iliade* entiere.
  Je diray seulement, que comme on void un corps
24 Sain, & bien temperé des nombres & accords,
Que tout corps doit avoir, obëir à la bride
Du chef, qui çà & là à son plaisir le guide,
Comme un cheval donté, ou comme en pleine mer
28 On void par un beau temps le navire ramer
Au gré de son pilote; ainsi la France encore,
Comme guide vous suit, comme chef vous honnore,
Comme Pere vous aime, adore comme Dieu,
32 Ce grand Dieu tout puissant, dont vous tenez le lieu.
  Voz antiques ayeulx, qui ont composé, Sire,
Tel que vous le voyez, ce florissant Empire,
Comme de quatre humeurs le corps est composé,
36 Et comme en quatre parts le monde est divisé,
En quatre l'ont party: en populaire tourbe,
Qui le doz au travail eternellement courbe,
En la noblesse née aux guerres & combats,
40 Justice qui esteinct les procez & debats,
Et le plus digne estat, qui ensemble les lie
D'une saincte musique & parfaite harmonie.
  Cestuy-la, qui voudroit, pour monstrer cest accord,
44 Dire qu'il est semblable à l'accordant discord
D'un Luth bien accordé, auroit par adventure
Desseigné d'un tel corps la vive protraiture:
Mais qui diroit qu'il est semblable au corps humain,
48 Auroit à ce protrait mis la derniere main.
Car comme au corps humain la benigne nature
Par les membres depart sa propre nourriture,
Autant qu'il luy en fault, & ne permet que l'un
52 Sur l'autre usurpe rien de l'aliment commun:
Ainsi le Prince doit, d'une mesme prudence,
Maintenir ses estats, gardant que la substance
De l'un ne passe en l'autre, à fin qu'egalement
56 Le corps universel ayt son nourrissement:
Et que pour estre trop l'un des membres enorme,

L'autre ne perde aussi sa naturelle forme.
    Sire, vous aurez donq' du pauvre peuple soing,
60   Qui d'estre soulagé a le plus de besoing:
Du peuple nourricier, qui fait le mesme office
Que les pieds & les mains: le penible exercice
Desquelles entretient tout le reste en repos,
64   Et fait qu'il est plus sain, plus gaillard & dispos.
    Sans luy rien ne seroit de plaisant & d'aimable,
Sans luy des Roys seroit la vie miserable,
Sans luy la terre mere infertile seroit,
68   Et marastre à ses fils, rien ne leur produiroit
Que ronces & chardons, avec le gland sauvage,
Et l'eau pure seroit nostre plus doux bruvage.
    Par luy nous trafiquons avecques l'estranger,
72   Duquel nous recevons, pour le boire & manger,
Les richesses & l'or, dont vostre France abonde,
Comme estant de tous biens une Corne feconde.
    De luy vous recevez le tribut annuel,
76   Comme d'un vif sourgeon, qui court perpetuel,
Et jamais ne tarit, pource que de sa course
La terre toute-mere est l'eternelle source:
Dont il reçoit l'usure, & fidele vous rend,
80   Sire, la plus grand' part du profit qu'il en prend.
    Le Noble vous fera à la guerre service,
Le Juge exercera l'estat de la Justice,
Et le Prelat sera, comme soingneux pasteur,
84   Du sainct troupeau de Christ fidele protecteur.
    Si la charrue cesse, & si la main rustique
Oisive par les champs au labeur ne s'applique,
Tout le corps perira, comme un grand bastiment,
88   Dont l'assiete n'a point de ferme fondement,
Lequel au premier hurt, que l'Aquilon desserre,
Avec horrible bruit est renversé par terre.
    Tous les autres labeurs, tant utiles soient ils,
92   Tous les arts & mestiers, avec tous leurs outils,
Ne sont à comparer à ceste agriculture,
Qui seule par son art commande à la nature:
Qui d'infertile rend un terroy plantureux,
96   Qui change la lambrusque en un sep plus heureux,
Qui l'arbre transformé ente en nouvelle sorte,
Et fait qu'un autre fruict que le sien il r'apporte,
Qui tire du bestail mille commoditez,

100 Pour nourrir les grands Roys & les grandes Citez,
    Qui nous donne le miel, qui fait voir le merveille
    Dont nature a formé l'industrieuse abeille ;
    Bref, qui nous monstre à l'œil les miracles des Cieux,
104 Et par là nous apprend à cognoistre les Dieux.
    Ceste noble science au vieux siecle honnorée
    Des Princes & des Roys, n'estoit pas ignorée
    Des bons peres Romains, qui leurs champs cultivoient
108 Avec les mesmes mains dont n'a-guere ils avoient
    Donté leurs ennemis : tant ils estimoient estre
    Digne de leur vertu ceste vie champestre.
    Là, comme ailleurs par tout, l'aveugle ambition,
112 L'envie miserable, & la sedition,
    Sire, ne regne point, ny ces pestes encore,
    Que versa dessus nous la meschante Pandore.
    Mais l'antique vertu seulement y a lieu,
116 La justice, la foy, & la crainte de Dieu,
    L'industrieux labeur, le soing, & la prudence,
    Et du temps à venir la caute providence.
    Ce mesme esprit encor nous voyons au formy,
120 Ce prudent animal de paresse ennemy,
    Qui amasse en esté avec soingneuse cure
    Ce qui doit en hyver estre sa nourriture.
    Vous voyriez par les champs, pour piller le monceau
124 Du bled nouveau-batu, marcher ce noir troupeau
    Par un sentier estroit : les uns vont & retournent,
    Les autres hastent ceux qui paresseux sejournent :
    Ceux-cy trainent les grains trop pesans & trop gros,
128 Ceux-la les vont poussant de l'espaule & du doz.
    Tout le chemin en fume. Avecq' tel exercice
    Travaille le paysant, pour le commun service.
    Comme nature a mis dans les mousches à miel
132 Je ne sçay quel instinct, qu'elles tiennent du Ciel,
    De travailler sans cesse, & d'une main soingneuse
    Recueillir sur les fleurs leur manne savoureuse :
    Ainsi de son labeur le peuple nous nourrit,
136 Et pour nous enrichir luy-mesme s'appovrit.
    Comme l'abeille doncq' vous le traitterez, Sire,
    Ne luy ostant du tout & le miel & la cire,
    Mais pour l'entretenir tousjours en ce bon cœur,
140 Luy ferez quelque part du fruict de son labeur :
    Vous souvenant qu'Homere en l'*Iliade* belle,

Le grand Agememnon pasteur du peuple appelle;
Et que le bon pasteur, qui aime son troupeau,
144 En doit prendre la laine, & luy laisser la peau.
  C'est le bien que de vous le povre peuple espere,
Et qu'il esperoit bien du feu Roy vostre pere,
Si Dieu luy eust presté la vie, & le loisir
148 De monstrer par effect ce pieteux desir,
Dont il vous a chargé par lay testamentaire,
Vous donnant par la paix le moien de ce faire,
  Par la paix vous avez moien de soulager
152 Le povre peuple, Sire, & de le descharger
Du fais que sur le doz si long temps il supporte,
S'il vous plaist de reigler voz finances en sorte
Que les glueuses mains ne puissent retenir
156 Les deniers qui devroient en voz coffres venir:
Si le caut officier vostre peuple ne gréve,
Si le Juge luy fait la justice plus bréve,
Si vous le deschargez des daces & imposts
160 Que l'avare fermier invente à tous propos:
Si son doz n'est chargé d'une nouvelle creuë,
Si selon sa puissance un chacun contribuë,
Le fort portant le foible, & s'il n'est sans raison
164 Par l'estappe foulé, ou par la garnison:
Si lon garde au marchand son privilege antique,
S'il a la traicte libre, & l'usurier publique
De l'argent du François n'enrichit l'estranger,
168 Et si vostre or au plomb vous ne laissez changer:
Mais sur tout, s'il vous plaist regler vostre despense
(Comme vous avez faict) de sorte que la France
Soit d'autant soulagée, & le fruict de la paix
172 Ne s'escoule perdu en inutiles fraiz
De masques, de banquets, & ce que l'artifice
Tire de vostre main, soubz umbre de service.
  Ceste loy sumptuaire à tous egalement
176 Profitable sera: mais principalement
Au noble, qui par là s'efforce de paroistre:
Comme si le moien de se faire cognoistre
Dependoit de l'habit, & non de la vertu,
180 Dont cest ordre sur tous doit estre revestu.
  . . . .

APPENDICES

A. The following extract is from Du Bellay's translation of *Aeneid*, VI, ll. 703–51 (ed. Ch. VI, pp. 384–6).

Pendant Enee apperçoit a l'escart
Au plain d'un val, une forest à part,
Dont les sions & branches rejettees
1186 Siffloient menu. Là les ondes Lethees
Vont arrousant ce bienheureux sejour,
Ou voletoient maints esprits à l'entour,
Comme l'esté r'asserenant le ciel,
1190 On void assoir force mouches à miel
Parmy les prez de diverses couleurs,
S'esparpillant ores dessus les fleurs,
Or à l'entour du beau lis blanchissant:
1194 Le champ est plein de ce bruit fremissant.
    Enee alors, qui le faict n'entendoit,
Tout effroyé la cause en demandoit,
Quel fleuve c'est, & quelle gent arrive
1198 A si grand' foule autour de ceste rive.
Tous les esprits, respond Anchise alors,
Qui retourner doivent en nouveaux corps,
Pour s'asseurer, boivent dedans ceste onde
1202 Le long oubly des miseres du monde.
Long temps y a certes que je desire
Te recorder, denombrer & descrire
Nostre lignee, à fin que quelque jour
1206 Plus doux te soit le desiré sejour
De l'Italie. O pere, est-il croyable
Que ces esprits (quel desir miserable
De la lumiere!) ayent encor envie
1210 De retourner à leur premiere vie?
Mon filz (dist-il) je t'osteray ce doute.
Anchise adonc à raconter se boute
De poinct en poinct les grands secrets du monde.
1214   Premierement le Ciel, la Terre, & l'Onde,
La Lune claire, & les Astres ardens
Sont d'un esprit nourriz par le dedans,
Esprit infus parmy toute la masse

1218   De l'univers, qu'il agite & embrasse,
        Faisant mouvoir par differents accords
        Egalement le rond de ce grand corps.
            Par cest accord hommes, bestes, oyseaux,
1222   Monstres de mer vivans dessous les eaux,
        Tiennent du feu la nature divine,
        Et leur semence a celeste origine,
        Sinon d'autant qu'à l'esprit est nuisant
1226   Le corps mal-sain, lourd, terrestre & pesant.
            De la provient que nostre ame est attainte
        D'aise, d'ennuy, de desir & de crainte,
        Et que jamais ne peult voir le beau jour,
1230   Close en son noir & tenebreux sejour.
        Mesmes estant de son corps separee,
        Encores n'est la povre malheuree
        Nette du tout, mais retient quelques restes
1234   De ses pechez & corporelles pestes,
        Et fault long temps à la matiere imbüe
        De longue main d'une humeur corrompue
        Pour la reduire à sa pure substance.
1238   Les ames donc tirent la penitence
        De leurs vieux maulx. Les unes hault pendues
        Sont parmy l'air à l'essor estendues:
        Aucunes sont dedans la mer plongees:
1242   Les autres sont par la flamme purgees.
        Chascun de nous endure ses enfers.
        Puis à la fin les champs nous sont ouvers
        Par l'Elysee, & sommes peu d'esprits,
1246   Qui possedions ce bien heureux pourpris,
        Jusques à tant qu'ayant par mainte annee
        Parfait le tour de nostre destinee,
        Soyons purgez, & que le feu celeste
1250   De nostre esprit, pur & simple nous reste.
            Tous ceux-cy donc, apres avoir tourné
        Le rond du temps, que mille ans ont borné,
        Huchez du Dieu, l'eau d'oubly viennent boire
1254   A grands troppeaux, à fin que sans memoire
        Retournent voir la grand' voulte des cieux,
        Et d'autres corps deviennent envieux.

            .   .   .   .

B

(i) ROMÆ DESCRIPTIO

Non mea sollicitet sæuus præcordia Mauors,
   Nec rabies litis, duráue iactet hyems.
Nec cupiam insanos Aulæ perferre labores,
4   Sed cingant nostras laurea serta comas.
Nunc iuuat aërii sacro de uertice Pindi
   Ducere uirgineos per iuga celsa choros.
Nunc iuuat umbrosis lentum iacuisse sub antris,
8   Et longum plectro concinuisse melos.
Seu libuit molles flammas fœlicis Oliuæ
   Hetruscæ ad numeros personuisse lyræ:
Seu potius magni laudes contexere Regis,
12   Dicere uel laudes, Margari Diua, tuas:
Vel qui nunc Romæ, Bellaiæ gloria gentis,
   Purpureum magnus tollit ad astra caput.
Illius auspiciis duras superauimus Alpeis,
16   Et pulchræ campos uidimus Hesperiæ.
Vidimus & flaui contortas Tybridis undas,
   Sparsáque per campos mœnia Romulidûm:
Mœnia, quæ uastis passim conuulsa ruinis
20   Antiquas spirant imperiosa minas.
Vidimus, excelsi claueis qui gestat Olympi,
   Augustum mitra, purpureósque Patres.
Quid referam magni pendentia culmina Petri?
24   Quo nullum Ausonia pulchrius extat opus.
Aurea quid memorem pictis laquearia tectis,
   Altáque porticibus limina Pontificum?
Adde tot augustas ædes, tótque atria longa,
28   Quæque oculis uilla est nomine pulchra suo.
Adde tot aërias arceis, molémque sepulchri,
   Auratásque domos, pictáque templa Deûm.
Prætereo longos excelso fornice ponteis,
32   Quos subter rapidis Albula fertur aquis.
Prætereo uastum lata testudine templum,
   Quo cunctos coluit maxima Roma Deos.
Mitto Virginei surgentia marmora fontis,
36   Qui sacer est summi numine Pontificis
Multáque præterea ueteris miracula Romæ,

Vndique defosso nunc rediuiua solo.
Hîc quoque (nam liceat toto decurrere campo)
40   Dicamus mores, inclyta Roma, tuos.
Si quis Palladias optet regnare per arteis,
     Dulcia Romanis Attica mella fluunt.
Si placet armorum lusus, si cursus equorum
44   Tyndaridas multos urbs dabit ista tibi.
Si uarios Regum cupias audire tumultus,
     Hîc ueri, & falsi nuntia fama uolat.
Si spectare iuuat Fortunæ iura potentis,
48   Non alio regnat latius illa loco.
Si Venus oblectat, Veneris sunt omnia plena :
     Romani auspicium sanguinis illa fuit.
Hîc signa, hîc strepitus uocésque, & nota uocantûm
52   Sibila, nec tacitis gaudia mixta iocis.
Hîc iuuat aut uarias passim saltare choreas,
     Aut Thuscos cithara concinuisse modos.
Carpento inuectus pulchra cum matre Cupido
56   Arguto resonum pectine pulsat ebur.
Gemmea marmoream cingunt redimicula frontem
     Oraque fallaci murice tincta rubent.
Aurea lacteolo pendéntque monilia collo,
60   Et niueas ornat gemma corusca manus.
Et baccæ auriculis pendent, tortíque capilli
     Mille trahunt dulci colla subacta iugo.
Sidonias uestes limbus complectitur aureus,
64   Defluit in teneros & stola longa pedes.
Arte cothurnati librant uestigia gressus,
     Arte oculi spectant, arte micant digiti.
Quicquid mollis Arabs, Aegyptus quicquid & Indi,
68   Aut portant Tyrii, Roma beata tulit.
Quid referam lætas segetes, ac dona Lyæi ?
     Quid nemora, & saltus, rustica turba, tuos ?
Quid gelidos fonteis, quid prata recentia riuis,
72   Et quicquid pingit uere ineunte solum ?
Quæ licet Ausonia spectentur plurima terra,
     Spectare in media plus tamen urbe iuuat.
Quid memorem augustis spirantia marmora tectis
76   Artificum docta uiuere iussa manu ?
An Patris implexos squamosis orbibus artus,
     Et natos iisdem nexibus implicitos ?
An Phœbum, & Venerem, Pario de marmore signa,

80   Saxáque in antiquos tam bene ficta Deos?
    Hîc Roma insignis galea, uultúque minaci
        Victorum Regum colla subacta premit.
    Hîc ludunt gemini prensantes ubera Nati,
84   Vbera nutricis officiosa Lupæ.
    Hîc plantæ affixis oculis, & corpore toto
        Euellit spinam uiuus in ære Puer:
    Terribilis claua fuluo stat nudus in auro
88   Herculeum spirans Amphitryoniades.
    Hîc bellator Equus, tergum sessore premente,
        Pectore flat Martem, naribus, atque oculis.
    Cæsareos uultus quis non miretur, & ora
92   Tam multis Romæ conspicienda locis?
    Quis Tybrim notúmque Lupa, notúmque gemellis,
        Quis septemgemini nesciat ora Dei?
    Anguibus intortis, cubitoque innixa recumbit
96   Antoni Coniux fortiter ausa mori.
    Hîc Martem alloquitur Cypris, lacrymisque madentes
        Inflectens oculos effera corda domat.
    Hîc geminus Sonipes gemino cohibente Colosso,
100   Ceruicem attollens arduus arma fremit.
    Hîc Puerum Satyrus uultúque, & munere tentat,
        Munera grata quidem, non ferus ille placet.
    Marmorea in uena uulnus demonstrat Adonis,
104   Vulnus, quo iacuit dente ferocis apri.
    Sed quid cæruleos tento percurrere fluctus,
        Nocturnasque uolo connumerare faceis?
    Singula si cupiam breuibus describere chartis,
108   Scribentem calamus, destituátque dies.
    Ardua Pyramidum dicam, truncósque Colossos,
        Mœstaque nunc uacuo muta theatra sinu?
    Aspice ut has moleis, quondámque minantia Diuis
112   Mœnia luxurians herba, situsque tegant.
    Hîc ubi præruptis nutantia culmina saxis
        Descendunt cœlo, maxima Roma fuit.
    Nunc iuuat exesas passim spectare columnas,
116   Et passim ueterum templa sepulta Deûm.
    Nunc Martis campum, Thermas, Circúmque, Forúmque
        Nunc septem Colleis, & monumenta uirûm,
    Hàc se uictores Capitolia ad alta ferebant,
120   Hîc gemini fasces, Consulis imperium.
    Hîc Rostris locus, hîc magnus regnare solebat

Tullius, hîc plebis maxima turba fuit.
Heu tantum imperium terrísque, undísque superbum
124   Et ferro, & flamma corruit in cineres.
Quæque fuit quondam summis Vrbs æmula Diuis,
Barbarico potuit subdere colla iugo.
Orbis præda fuit, totum quæ exhauserat orbem,
128   Quæque Vrbis fuerant, nunc habet Orbis opes.
Cætera tempus edax longis tegit obruta seclis,
Ipsáque nunc tumulus mortua Roma sui est.
Disce hinc, humanis quæ sit fiducia rebus :
132   Hic tanti cursus tam breuis imperii.
Roma ingens periit : uiuit Maro doctus ubique,
Et uiuunt Latiæ fila canora lyræ.
Nasonis uiuunt, uiuunt flammæque Tibulli,
136   Et uiuunt numeri, docte Catulle, tui.
Saluete ô cineres, sancti saluete Poëtae,
Quos numerat uates inclyta Roma suos.
Sit mihi fas Gallo, uestros recludere fonteis,
140   Dum cœli Genio liberiore fruor.
Hactenus & nostris incognita carmina Musis
Dicere, & insolito plectra mouere sono.
Hoc mihi cum patriis Latiæ indulgete Camœnæ,
144   Alteráque ingenii sit seges ista mei.
Fortè etiam uiuent nostri monumenta laboris,
Cætera cum domino sunt peritura suo.
Sola uirum uirtus cœli super ardua tollit,
148   Virtutem cœlo soláque Musa beat.

(ii) PATRIÆ DESIDERIVM

Quicunque ignotis lentus terit ocia terris,
Et uagus externo quærit in orbe domum,
Quem non dulcis amor, quem non reuocare parentes,
4   Nec potuit, si quid dulcius esse potest,
Ferreus est, dignúsque olim cui matris ab aluo,
Hyrcanæ tigres ubera præbuerint.
Non mihi saxea sunt, duróue rigentia ferro
8   Pectora, nec tigris nec fuit ursa parens,
Vt dulci patriæ durus non tangar amore,
Tótque procul menses exul ut esse uelim.
Quid namque exilium est aliud, quàm sidera nota,
12   Quàm patriam, & proprios deseruisse lares ?

Annua ter rapidi circùm acta est orbita Solis,
    Ex quo tam longas cogor inire uias:
Ignotisque procul peregrinus degere tectis,
16   Et Lyrii tantùm uix meminisse mei,
Atque alios ritus, aliósque ediscere mores,
    Fingere & insolito uerba aliena sono.
At quid Romana (dices) speciosius Aula,
20   Aut quísnam toto pulchrior orbe locus?
Roma orbis patria est, quíque altæ mœnia Romæ
    Incolit, in proprio degit & ille solo.
Forsan & est Romæ (quod non contingere cuiuis
24   Hic solet externo) uiuere dulce mihi:
Est cui purpurei patruus pars magna Senatus,
    Atque idem Aonii pars quoque magna chori,
Qui nostras ornétque bonus, foueátque Camoenas,
28   Arceat à nostro pauperiémque lare.
At quoties studia antiqua, antiquosque sodales,
    Et memini charam deseruisse domum,
Quondam ubi sollicitas Persarum temnere gazas,
32   Et fœlix paruo uiuere doctus eram;
Ipsa mihi patriæ toties occurrit imago,
    Et toties curis torqueor usque nouis.
Vtque nihil desit, nobis tamen omnia desunt,
36   Dum miseris noto non licet orbe frui.
Nec Ligeris ripas, saltus, syluásque comantes
    Cernere, & Andini pinguia culta soli,
Quæ lacte & Baccho, flauentis & ubere campi
40   Antiquæ certant laudibus Italiæ.
Ast Ithacus, licet ipsa foret Laërtia tellus
    Et Bacchi, & Cereris muneribus sterilis,
In patriam rediit, reditum nec pulchra Calypso,
44   Nec pulchra Alcinoi detinuit soboles.
Fœlix, qui mores multorum uidit, & urbes,
    Sedibus & potuit consenuisse suis.
Ortus quæque suos cupiunt, externa placéntque
48   Pauca diu, repetunt & sua lustra feræ.
Quando erit, ut notæ fumantia culmina uillæ,
    Et uideam regni iugera parua mei?
Non septemgemini tangunt mea pectora Colles,
52   Nec retinet sensus Tybridis unda meos.
Non mihi sunt cordi ueterum monumenta Quiritûm,
    Nec statuæ, nec me picta tabella iuuat:

L

Non mihi Laurentes Nymphæ, syluæque uirentes,
56   Nec mihi, quæ quondam, florida rura placent.
Ipsæ etiam quæ me primis docuere sub annis
      Ad citharam patrio flectere uerba sono,
Heu fugiunt Musæ, refugítque auersus Apollo,
60   Et fugiunt digitos mollia plectra meos.
Aulica dum nostros gestaret turba libellos,
      Et tereret manibus carmina nostra suis:
Dúmque meos Regis soror, illa, illa inclyta uirgo
64   Afflaret sancto numine uersiculos,
Margaris inuicti Regis soror, aurea uirtus
      Inter mortales cui dedit esse Deam:
Tunc licuit totum fœcundo pectore Phœbum
68   Concipere, & pleno pandere uela sinu.
Nunc miseri ignotis cæci iactamur in undis,
      Credimus & Latio lintea nostra freto.
Hoc Latium poscit, Romanæ hæc debita linguæ
72   Est opera, huc Genius compulit ipse loci.
Sic teneri quondam uates præceptor Amoris,
      Dum procul à patriis finibus exul agit,
Barbara (nec puduit) Latiis prælata Camœnis
76   Carmina non propriam condidit ad citharam.
Carmina Principibus gaudent, plausúque theatri,
      Quíque placet paucis, displicet ipse sibi.

NOTES ON THE TEXT

The following abbreviations are used in the notes:

Ch.   H. Chamard's edition of the *Œuvres Poétiques* (see Bibliography).
D.B.   Du Bellay.
Deff. *La Deffence et Illustration de la Langue Françoyse*, éd. crit. H. Chamard, S.T.F.M., 1948, unless another edition is specifically mentioned.
Ewert A. Ewert, *The French Language*, London, Faber, 1933. References are to sections, NOT to pages.
G.D.   G. Dickinson, *Du Bellay in Italy* (see Bibliography).
HP   H. Chamard, *Histoire de la Pléiade* (see Bibliography).

L'OLIVE (April 1549)

In April 1549, under the same privilege as the *Deffence*, appeared *L'Olive et quelques autres œuvres poëticques*, Paris, Arnoul l'Angelier, containing 50 sonnets, some *Vers Lyriques* and the *Anterotique*. A preface *Au lecteur* admits the imitation of Petrarch, Ariosto and others, justified on the familiar grounds that the Romans had imitated the Greeks; the poet submits his poems to such other poets as Saint-Gelais, Héroët, Ronsard and Scève who, if they do not approve of them, will at least praise his enterprise.

The text of the following sonnets is that of the 1549 edition apart from such corrections as *a* for the 1549 *à* where the verb is clearly intended. Some '1550' corrections are given in the notes.

I (Sonnet I in 1549 and 1550; Ch., I, 27)

1-2 The laurel garland of Apollo.

3-4 The ivy crown of Bacchus, legendary conqueror and civilizer of India.

5-6 The myrtle, sacred to Venus, one of whose principal centres of worship was Cyprus. *decoré*: honoured, celebrated, one of the meanings of Lat. *decorare*.

7-8 The olive sacred to Athene-Minerva.

9 1550: O tige heureux. Note the rhyme arrangement of the tercets.

14 The laurel celebrated by Petrarch in his poems to Laura.

II (Sonnet X in 1549 and 1550; Ch., I, 35)

Imitated from a sonnet of Ariosto, who develops the themes of arrow and bonds in parallel; to these (perhaps after Parabosco) D.B. adds fire and develops the three themes in *vers rapportés* in lines 7-11. Note all feminine rhymes in the quatrains and the rhyme arrangement in the tercets. The sonnet was fiercely criticized by Quintil Horatien.

6 'le coup tiré par une main bien apprise'.

11 *liqueur*=liquide.

14 *racine*: medicinal root.

III (Sonnet XVI in 1549 and 1550; Ch., I, 40)

No precise source has been identified for this sonnet.

1-4 Diana, worshipped in Delos and identified here in her lunar aspect with Selene, descended to kiss the handsome Endymion, plunged into perpetual sleep on Mt. Latmus in Caria.

5 Tithonus was granted immortality, but not eternal youth, at the request of Eos (Aurora); eventually the decrepit old man was changed into a cicada.

IV (Sonnet XXV in 1549, XXVI in 1550; Ch., I, 49–50)

No precise source identified, but this type of antithetical treatment was common among the Petrarchans and was much imitated by French sonneteers in the sixteenth century. Note all feminine rhymes in the quatrains, all masculine in the tercets.

In lines 2, 3, 9, 11 and 12, the forms *suy'* etc. show the suppression of the paragogic *s* which had begun to appear at the end of 1st person singular Present Indicative forms in conjugations other than the -er conjugation in the twelfth century; the etymological forms without *s*, however, survived into the seventeenth. The form with the apostrophe appears to be a kind of orthographic compromise. See Ewert, 307 (1).

2 *suy'* from *suivre*.

3 *suy'* from *être*, as in 9.

V (Sonnet XXXII in 1549, XXXIV in 1550; Ch., I, 55–6)

No precise source identified.

10 *etophées*: étoffées, i.e. bien garnies, pompeuses.

11 1550: Mais je ne veulx acquerir telle gloire.

VI (Sonnet XLIV in 1549, XLIX in 1550; Ch., I, 68–9)

Free imitation of a sonnet by Thomaso Castellani. Note the fusion of biblical and classical allusions to the olive branch, and all feminine rhymes in the quatrains.

8 1550: de sang, de rage.

VII (Sonnet XLVII in 1549, LIV in 1550; Ch., I, 73–4)

Free treatment of themes in a poem by Vincenzo Quirino. The repetition of apostrophe (5–9) is frequent Petrarchan device. All feminine rhymes in the quatrains, masculine in the tercets.

1 Quintil Horatien: 'Quelle poësie grecque ou latine attribue un char à la nuict? & quelle proprieté de *desaigrir* peine pour *alleger*'.

12 *Veillez*=veuillez, as found in the 1561 edition of F. Morel.

VIII (Sonnet XLIX in 1549, LVII in 1550; Ch., I, 75–6)

This theme of the innumerable charms of the mistress is not uncommon in Petrarchan poetry; Chamard quotes the first quatrain of a sonnet by Fortunio Spira.

1 *Qui*, as in 5 and 9, apparently without antecedent=celuy qui. The *celuy* of 12 makes the construction clear.

1, 2 i.e. when the sun is at its farthest point from the visible horizon, in the middle of the night.

10 Quintil Horatien criticizes these names, saying that the 'noms presens', Bocal and Gibellin, would be better understood.

IX (Sonnet L in 1549, LIX in 1550; Ch., I, 77–8)

The last sonnet in the 1549 collection. All feminine rhymes in the quatrains, all masculine in the tercets.

1 The complement of the comparative could still be introduced by *de*. *Lëandre*: the famous swimmer who lost his life crossing the Hellespont to visit Hero, priestess of Venus.

2 Quintil Horatien: 'Solecisme de *moy prendray* pour *je prendray*'.

4 1550: du recourbé Mëandre. The Maeander was a river in Asia Minor associated with the transformation of Cycnus into a swan.

5–6 The suggestion of Orpheus in this quatrain is carried on into the tercets.

8 i.e. Anjou, where the Maine flows into the Loire. The Maine, which is only a few miles long, is formed by the confluence of the Sarthe, Loir and Mayenne.

14 'the suns of the upper and nether worlds'.

VERS LYRIQUES (April, 1549)

Published in April 1549 along with the *Olive* and the *Anterotique*, the *Vers Lyriques* comprised thirteen odes and an 'Epitaphe de Clement Marot'. A short notice *Au lecteur* declares that a strict alternation of masculine and feminine rhymes has not been observed (cf. *Deff.*, 164–5); this lack of alternation will be observed in the two odes which follow. The text given is that of 1549.

X. LES LOUANGES D'AMOUR (Ch., III, 11–15)

Dedicated to René d'Urvoy, a Breton nobleman and former companion of Ronsard, Baïf and D.B. in the Collège de Coqueret. Ronsard addressed an ode to him in 1550. Note the lilting rhythm, used by D.B. in a number of lyrics.

19 Erato, the Muse of love-poetry.

29 Neptune's brother, Pluto, god of the underworld.

48 This old order of the personal pronouns was still current in the sixteenth century. Cf. Ewert, 249.

51 *sepz*=ceps.

58 'domestic animal'.

66 D.B. uses the compound word very sparingly.

73 Cf. below, XCVI, 93–6 and note.

85 *autheur*: creator.

XI. DE L'IMMORTALITÉ DES POËTES (Ch., III, 51–4)

Horatian ode, based mainly on *Odes*, I, i; II, xx; III, xxx. Jacques Bouju (1515–77) became President of the Parlement de Bretagne; few of his poems have survived.

11 *palaiz* refers to the law-courts.

12 *mandie*=mendie; solicits.

26 *esle*=aile.

32 'the western ocean'.

33 'from the Great Bear in the north to Atlas in the south'.

34 'changed into a swan'. Cf. Horace, *Odes*, II, xx, 10: album mutor in alitem.

42 i.e. celui à qui. . . .

51 The Muses on Parnassus. Quintil Horatien acidly remarks: 'C'est assez d'une fois. Car il n'ha que deux croppes, & s'il estoit deux fois cornu, il en auroit quatre'.

RECUEIL DE POËSIE (November 1549)

The text given is that of the first edition, Paris, Guillaume Cavellat, 1549. The *Recueil* contains an 'Ode à sa lyre', the 'Prosphonematique au Roy . . . Henri II' (216 verses in stanzas of 6, written for Henri's state entry into Paris, 16 June, 1549), the 'Chant Triumphal sur le Voyage de Boulongne' (heroic poem in 208 verses on the campaign of August 1549) and, under the heading 'Vers Lyriques', 16 odes followed by the 'Dialogue d'un Amoureux et d'Echo'. The odes are chiefly laudatory ones addressed to royalty, nobles or fellow writers; a few treat moral subjects, such as 'Contre les Avaritieux'. On these odes, *HP*, I, 284ff.

XII. A MADAME MARGUERITE, D'ESCRIRE EN SA LANGUE
(Ch., III, 97–100)

The general theme is that of the *Deffence*, I, xi and II, xii, some phrases being transcribed almost verbatim. Within a few years, D.B. himself was to be writing his *Poemata*. Madame Marguerite, to whom D.B. addressed a large number of poems and who was similarly honoured by Ronsard and other Pléiade poets, was the sister of Henri II and a real and effective patroness and protectress of the young poets.

5–8 Icarus. The stanza is closely modelled on Horace, *Odes*, IV, ii, 1–4.

11–12. Cf. *Deff.*, 187–8: 'Horace dit que Romule en songe l'ammonesta, lors qu'il faisoit des vers Grecz, de ne porter boys en la forest'. Horace, *Sat.*, I, x, 34: in siluam non ligna feras. . . .

14–28 The allusions are to Homer, Pindar, Vergil and Horace respectively.

33–6 Cf. *Deff.*, 194. Diomedes was regarded as, next to Achilles, the bravest warrior in the Greek forces; his name is here used as a symbol of 'second-best'. Thersites, on the other hand, was the ugliest and least heroic of the Greek warriors.

37–44 Boccaccio (1313–75), best known as author of the *Decamerone*, was also a graceful poet. He was friend of Petrarch (1304–74), poet of the *Rime* extolling Laura before and after her death. Dante (1265–1321) wrote not only the *Divina Commedia*, but also lyrics, canzoni, sonnets etc., many of which are in praise of Beatrice. Bembo (1470–1547), a disciple of Petrarch; he attempted to restore a pure Petrarchan tradition after the extravagances of some imitators. Sannazaro (*c.* 1455–1530), chiefly remembered for the *Arcadia*, a romance in prose and verse; he, too, wrote verse in the Petrarchan tradition. Most of these writers are cited as models in the *Deffence*.

41 *la vostre*, i.e. votre gloire.

45 Allusions to Marot, Ronsard, Saint-Gelais and Lancelot Carle respectively.

53 *celle*: lyre. The allusion in the stanza is to Orpheus and his powers.

XIII. A BOUJU. LES CONDITIONS DU VRAY POETE
(Ch., III, 120–4)

For Bouju, see above, XI. The theme is based on Horace, *Odes*, IV, iii.
13 Envy.
33–6 Reminiscence of Horace, *Odes*, III, xiii, 9–12 (Fons Bandusiae).
47–8 Bouju's Sarthe will be as famous as Vergil's Po.
51–2 i.e. like Orpheus.
61 The lyre, sacred to Apollo, who with it delights the gods at Jupiter's
feasts.
65 *luc*: one of the many sixteenth-century spellings of the name of the
instrument which served as substitute for the ancient lyre.
69–70 The Muses were daughters of Jupiter and Mnemosyne.

XIV. DIALOGUE D'UN AMOUREUX ET D'ECHO
(Ch., III, 148–9)

This pleasing trifle follows the sixteen odes in the *Recueil*. According to
Estienne Pasquier (*Recherches*, VII, xii) it is the first French 'echo' poem.
It was by no means the last.

L'OLIVE (October 1550)

In 1550, Gilles Corrozet and Arnoul l'Angelier published in Paris *L'Olive
augmentée depuis la premiere edition . . .* ; it contained 115 sonnets including those
already in the 1549 edition, a new dedicatory sonnet to Madame Marguerite
and a new preface *Au lecteur*, considerably larger than the earlier one. This
new preface is a lively document, expressing forcefully a number of points
already made in the *Deffence* or defending them and his poems against various
criticisms.

XV (Sonnet L, 1550; Ch., I, 69–70)

No precise source identified. Note the Petrarchan device of the repetition
of 'Si' in lines 1–5.
4 *decouvers*: open, uncovered.

XVI (Sonnet LX, 1550; Ch., I, 78)

To this sonnet Ronsard replied with the sonnet 'Divin Bellay, dont les
nombreuses lois' (*Amours de Cassandre*, ed. Laumonier, IV, 48, no. xlv).
The images in D.B.'s sonnet are taken from the early Pindaric odes of
Ronsard himself, which had been published earlier in the same year. The
harper and archer themes, which combine the idea of the stringed instrument
with the strung bow (l'arc à sept cordes=the seven-stringed lyre), shooting
the Muses' arrows of immortality at noble and fortunate victims, come direct
from Pindar, 'le vieil Thebain archer'. See P. de Ronsard, *Poèmes*, ed.
Barbier (in this series), nos. I and II. Note the quatrains with all feminine
rhymes.

XVII (Sonnet LXXI, 1550; Ch., I, 87–8)

An example of the inspiration that D.B. drew from Ariosto's *Orlando
Furioso* (VII, xi–xiv; portrait of Alcina) as well as from Italian sonneteers.
The quatrains have all masculine rhymes.

XVIII (Sonnet LXXVIII, 1550; Ch., I, 92–3)

A similar theme is similarly developed in a sonnet by Bembo (text in Ch., *loc. cit.*). Feminine rhymes throughout.

XIX (Sonnet LXXXIII, 1550; Ch., I, 97)

Imitated freely from a sonnet by Antonio Francesco Rinieri (text in Ch., *loc. cit.*), but the charming image in the first two lines is not in Rinieri, and appears to be D.B.'s own. Rinieri's second quatrain seems also to have inspired the quatrains of Ronsard's sonnet 'De ses cheveux la rousoyante Aurore' (ed. Laumonier, IV, 79, no. lxxviii). Comparisons of mistresses with dawn are frequently found in Petrarchan and Précieux poetry.

6 *tant* = si.

7 'dewdrops'.

11 *fleuve mien*: the Loire. *rient* = riant.

XX (Sonnet XCI, 1550; Ch., I, 104–5)

Imitated freely from a sonnet by Bernardino Tomitano. Chamard, *loc. cit.* gives also the text of another sonnet of similar theme by an unknown poet. Feminine rhymes throughout the quatrains.

14 *felonnie*: cruelty.

XXI (Sonnet XCVI, 1550; Ch., I, 108–9)

Petrarch himself (e.g. in 'Nè per sereno ciel ir vaghe stelle') and his imitators frequently employed this device of negative enumeration, which found favour in the eyes and ears of the Pléiade poets.

XXII (Sonnet CVIII, 1550; Ch., I, 118)

This sonnet, for which no precise source is found, is one of a small group of Christian inspiration; this one, however, is not without its allusion to his passion for Olive, in the last verse.

6 *etuyé*: put in its sheath.

12 Psalm XXV, 2: Ure renes meos et cor meum.

XXIII (Sonnet CXIII, 1550; Ch., I, 122–3)

Imitated from a sonnet by Bernardino Daniello (text in Ch., *loc. cit.*) and improved upon by D.B. (*HP*, I, 236–7). The Platonic theory of the Idea is gracefully developed along with the theme of reminiscence. See Merrill & Clements, *Platonism in French Renaissance Poetry*, New York Un. Press, 1957, 33–4.

8 *empanée* = empennée: well feathered.

XXIV (Sonnet CXIV, 1550; Ch., I, 123)

The first quatrain reiterates the theme of Horace's 'Odi profanum volgus' (*Odes*, III, i), already expressed in other poems (e.g. above, no. XI, 17–18), in the *Deffence* (II, xi; *Deff.*, 180–1) and echoed by many of the Pléiade poets in the earlier days of the movement. Cf. *HP.*, IV, 159–60. It will be observed that this sonnet is in blank verse, on which *Deff.*, 147 and *HP*, I, 200, n. 6.

XXV (Sonnet CXV, 1550; Ch., I, 124)

The last sonnet in the *Olive*, addressed to Ronsard.

8 Allusion to Icarus.

13 'the olive'.

14 Allusion to Petrarch and his Laura.

XXVI. LA MUSAGNŒOMACHIE, October 1550
(Ch., IV, 3–26)

In the 1550 preface to the *Olive*, D.B. says: 'Je te fay' present de mon *Olive* augmentée de plus de la moitié, & d'une *Musagnœomachie*, c'est à dire la Guerre des Muses & de l'Ignorance'. Some may object that in his list of learned men he has omitted many or put them in the wrong order; to this he has an answer: 'c'est que mon intention n'estoit alors d'ecrire une hystoire, mais une poësie'. Chamard (*HP*, I, 218–20) calls this poem 'une œuvre étrange', 'ce médiocre badinage', but it contains enthusiasm and reflects clearly the militant doctrines and attitude of the young poet. 'Ce novateur intransigeant', says Chamard, 'prodigue l'allégorie à l'égal d'un rhétoriqueur'; but, as he himself pointed out (*Origines de la poésie française de la Renaissance*, Paris, Boccard, 1920, 101–2) and as anyone who reads sixteenth-century French extensively knows, allegory is a vigorous survivor from medieval literary practice. In the main, however, the Pléiade prefers the allegory of classical myth to the personifications of the *Roman de la Rose* type. The extract given is preceded by two stanzas intended to create an atmosphere of horror. It may serve as an example of the perhaps deliberate use of the medieval style of allegory to symbolize that which was defeated, and it proceeds to a list of heroes of the fight. A shorter 'Musagnœomachie' is to be found in Ronsard's ode to Madame Marguerite (ed. Barbier, 4–5).

25–36 The *Batrachomyomachia* (cf. *Deff.*, 78), which had been translated into French verse by Antoine Macault (Paris, 1540) was regarded as a kind of 'avantragedie' to the *Iliad*; this Homeric attribution survived, like that of the *Margites*, a comic epic, in spite of some ancient testimony, throughout the sixteenth century. D.B. in the same way hoped to follow up the *Musagnœomachie* with heroic works on the exploits of Henri II.

37ff. The description of the Cave of Sleep is based on Ovid, *Metamorphoses*, XI, 592–607.

41 Phebus: regarded here, no doubt, not only as the Sun but also as the god of poetry.

44 Lethe: the river of forgetfulness. Cf. Appendix A, 1251–6.

59–60 Enceladus, one of the Giants who rebelled against the Gods and was buried under Etna, and Cœus, one of the Titans, were both, though in different ways, sons of Gæa, the Earth.

69 *pense touillée*: filthy, bedraggled belly.

72 *tors*: twisted, misshapen.

85–96 A list of monsters, most of which were destroyed or tamed by Hercules (Antæus the wrestler, the man-eating mares of Diomedes, Geryon the three-bodied, the Erymanthian boar, the Nemean lion, the Lernean hydra and Cerberus); Bellerophon slew the Chimæra and Perseus Medusa.

111–12 The ills let loose by Pandora.

121 i.e. François fut le premier qui. . . . François I (born 1494; reigned 1515–47) was a great patron of arts and letters and received innumerable tributes of this sort.

125 Henry II (born 1519; reigned 1547–59) carried on his father's work as protector of arts and letters.

128 Catherine de' Medici, Henry II's queen, and Marguerite his sister.

133 The Dauphin François, born 1544. He was to succeed his father as François II in 1559; he died in 1560.

141 The Cardinals of Châtillon and Guise. The former, Odet de Coligny, born 1517, cardinal 1533, archbishop of Toulouse, 1534, was the recipient of an ode by D.B. (*Recueil de Poësie*, VI) and of many other tributes from Pléiade poets; he was a protector of Rabelais. He became a Protestant and died in England in 1571. Charles de Guise, born 1524, became archbishop of Reims in 1538, cardinal 1547; he too had an ode in the *Recueil de Poësie* (no. V) and received many tributes from writers.

142–4 Cardinal Jean du Bellay. He was nominated for the Papacy in 1550 and at the conclave early that year received eight votes. Julius III was in fact elected.

145–7 François Olivier, a kinsman of Héroët, became Chancellor of France in 1545.

148–51 Pierre du Chastel, bishop of Mâcon, Lecteur particulier to François I.

152–6 Jean de Monluc, brother of the historian, had just returned from a mission to Scotland. Pitho, the goddess of persuasion. *composa*: created, in the sense of 'put together'.

157 Chiron was the wisest and most accomplished of the Centaurs; he is said to have taught Achilles and other heroes.

161 Pierre Danès (1497–1577) was the Dauphin's tutor and the first Greek 'Lecteur' at the Collège Royal, later the Collège de France. He became bishop of Lavaur.

169–80 D.B.'s views on the courts of law underwent some changes according to circumstances! Cf. above, XI, 11; XIII, 7–8. As time went on, he had ample reason for complaining about legal processes.

180 *La sage vierge*: Astræa, daughter of Zeus and Themis, and goddess of justice.

181–4 The wooden horse.

204 i.e. he is faced with an 'embarras de richesses'.

213–14 *Qui* . . . , *qui* . . . : often used, sometimes in long series, in the sense of 'One . . . , another . . .', 'Some . . . , others . . .'.

217 Here begins the list of poetic warriors for enlightenment. Many of these are also found in the preface to the *Olive* (1549) as those whom he would be content to please. Lancelot Carle (*c.* 1500–68) composed poems in French, Latin and Italian; became bishop of Riez in 1550 and chaplain to the king. Antoine Héroët published in Lyons in 1542 a small volume containing la *Parfaicte Amye*, *L'Androgyne de Platon* and other items; it is no doubt for the Plato that he is included here. The *Deffence* treats him without over-enthusiasm, but Héroët was the recipient of an ode in the *Recueil de Poësie*. Saint-Gelais, the king's official poet at this time, showed himself hostile to the young poets at first. He published nothing during his life; see below, CIII, 121ff. and note.

220 Bouju was for a time maître des requêtes to Catherine (Juno) and in close touch with Madame Marguerite (Pallas).

224 Scève: see below, CIX.

227 Hugues Salel (*c.* 1504–53), translator (perhaps not on the Greek text) of the *Iliad*; he also wrote some French verse.

228 *autre*: i.e. second (Lat. *alter*) to Marot.

229 Jacques Peletier du Mans: see Introduction. 'Ce fut pourquoy, à la persuasion de Jaques Peletier, je choisi le sonnet & l'ode ...' (*Olive*, preface of 1550).

231 Jean Martin translated the *De Architectura* of Vitruvius (1547).

236 Maclou de la Haye, valet de chambre du roi, wrote a poem on the war against the English (1549).

241 Salmon Macrin (1490–1557), illustrious neo-Latin poet, on whom see articles by I. D. Macfarlane in *Bibliothèque d'Humanisme et Renaissance*, 1959 and 1960. D.B. wrote a touching ode to him on the death of his wife (Ch., IV, 27 ff.) See also below, XXX.

242 Perhaps Soucelle and Patrière; see Ch., IV, 14, n. 3.

243 Scève and Pontus de Tyard. The latter (1521–1605) had been associated with the Lyons poets and had published in 1549 his *Erreurs Amoureuses*; he then formed strong links with Ronsard and D.B.

244 Pierre de Paschal (1522–65) had become 'historiographe du roi' on his reputation for eloquence. He was expected to write a great work of *Elogia* of the great men of his time, and the Pléiade poets addressed many poems to him, no doubt in the hope of being immortalized. This *magnum opus* never appeared; there were rifts and reconciliations, Paschal's promises still taking the poets in. See also below, XLIII. On Paschal see P. de Nolhac, *Ronsard et l'Humanisme*, 271–339. For Paschal's Latin epitaph of D.B., see *HP*, 346.

250 Parnassus.

253 No doubt D.B. himself, Ronsard and Jean-Antoine de Baïf.

258 Lazare de Baïf, father of Jean-Antoine and author of many learned treatises on classical antiquity; translator of the tragedy *Electra* (1537). He served François I on many diplomatic missions. Ronsard was for a time his secretary and was later the companion of Jean-Antoine in his studies under Dorat. The *Deffence* (II, xii) links him with Guillaume Budé as 'ces deux lumieres françoyses'.

265 Ronsard, whose odes, which appeared early in 1550, introduced to France—at any rate in effective form—the Horatian and Pindaric types of ode. Pouille: Apulia from the borders of which Horace came.

277–468 The poem develops into a conventional, if eloquent, Giganto-machia by the end of which the monster Ignorance is vanquished.

469 Chamard (IV, 24, n. 1) remarks 'Étrange confusion: Apollon aima la nymphe Cyrene; mais jamais il ne fut l'objet d'un culte spécial à Cyrene'. Herodotus, however (IV, 155ff.) tells us that the Delphic oracle of Apollo bade Battus found a colony in Libya; Battus was eventually guided to the Fountain of Apollo where the city of Cyrene was built. Apollo is regarded as the city's founder. There are still imposing remains there of a Temple of Apollo and the Fountain is still to be seen. I have on my desk as I write a fragment of the tesselated pavement leading from the Fountain to the Temple. See R. Goodchild, *Cyrene and Apollonia, an historical guide*, Antiquities Department of Cyrenaica, United Kingdom of Libya, 1959, *passim*. D.B. was not so confused after all.

473 *menaçante*, because singing of battles. Cf. Horace, *Odes*, IV, ix, 7–8: Alcæi minaces . . . Camœnae. Cf. also Ronsard, ed. Barbier, 12.

477 Alcæus of Mytilene, lyric poet, flourished in the seventh century B.C.

481ff. The triumph seems to be described here after the Italian style, e.g. the four white steeds after Petrarch's 'Quattro destrier via più che neve bianchi'. The triumph is a frequent theme in Renaissance literature and iconography.

490 *etophez*: see above, V, 10.

506 *enyvre*=trempe.

509 *Retien*=soutiens. The following verses allude no doubt to impending litigation perhaps concerned with the family estate.

512 *Encre*=ancre (imperative).

XXVII. DESCRIPTION DE LA CORNE D'ABONDANCE PRESENTÉE A UNE MOMMERIE (Ch., IV, 34–6)

In October 1550, the second *Olive* was also increased by the addition of five new odes, of which this is one. This graceful trifle illustrates how D.B. could breathe life into an occasional piece and use it as a vehicle for familiar themes such as the decay of feminine beauty. In the title, *mommerie*= masquerade.

1 Achelous, the longest river in Greece; the rivergod fought with Hercules; beaten, he took the form of a bull, but was again defeated by the hero, who tore off one of its horns. According to Ovid, *Met.*, IX, 80–8, the Naiads made of it the horn of plenty.

12, 14 perhaps convey a discreet tribute to the royal family.

21–5 Allusion to the judgment of Paris, which eventually led to the Trojan war.

26–7 There are various versions of the Atalanta story; the one in D.B.'s mind here seems to be Ovid, *Met.*, X, 560ff. Hippomenes, in order to defeat Atalanta in the race and so marry her, threw in front of her apples given him by Venus.

39–40 The hyacinth, the narcissus and the anemone, sprung from the blood of the personages named.

43 Carites: the three Charites or Graces.

49 *ravissante*=qui ravit, enlève.

ŒUVRES DE L'INVENTION DE L'AUTHEUR (February 1552)

The thirteen poems of the group from which the next three examples are taken appeared along with the *Quatriesme livre de l'Eneide de Vergile traduict en vers francoys*, a translation of Ovid, *Heroides*, VII, the *XIII Sonnetz de l'Honneste Amour* and an 'Adieu aux Muses' based on a Latin poem by Buchanan. In a prefatory letter to Jean de Morel d'Embrun (Ch., VI, 246ff.) the poet expresses his melancholy situation and his gratitude for the relief that the practice of poetry has given him, though it has brought no material profit. Feeling that his inspiration has run low, he has turned to translation. The *Inventions*, however, though of unequal merit, are perhaps less bookish and more personal than D.B.'s earlier work; nor are they all of unrelieved gloom. See *HP*, I, 296ff.

XXVIII. LA COMPLAINTE DU DESESPERÉ (Ch., IV, 87–110)

D.B. had already composed a 'Chant du Desesperé' which had appeared in the 1549 *Vers Lyriques* (Ch., III, 37ff.). While the poet's mood appears to have been sincere—and for good reasons—it should be remembered that compositions of this sort appear in the work of other poets (e.g. Jacques

Peletier, whose influence over D.B. was strong) and that the lyrical expression of grief could be undertaken as a literary exercise.

1–6 Reminiscence of Ariosto; see Ch., *ad loc.*

37–54 The stanzas omitted develop the theme of the poet's inability to express the full measure of his grief.

67ff. D.B.'s imitations of Petrarch in the *Olive*, which will not suffer the fate of Icarus.

121–6 These complaints about his boyhood seem well justified.

136ff. D.B. indeed appears to have suffered premature ageing as a result of ill-health and worry.

143 'ma barbe crépue, frisée'.

149 Niobe, daughter of Tantalus, boasted that she had more children than Latona; Apollo and Diana slew her with arrows along with her children. Jupiter transformed her into a rock perpetually dripping water.

151–228 D.B. now develops the theme, largely with the aid of Horace, *Epist.*, v, that he has been bewitched, but all the curses enumerated could not have produced his misery.

253–372 The same theme continues: even the changes of night and day only maintain and deepen his suffering, as do changes of scene. Nowhere can he find solace.

387 i.e. against the poets.

391–468 D.B. alludes to the tragic fates of great poets, then goes on to emphasize his own innocence. He does not belong to the race of rebellious giants nor to that of the deceitful Prometheus or the fratricidal Thebans.

499 Amphiaraus, warrior-prophet, joined the expedition against Thebes, though he knew it would be fatal to him. He was pursued, but was swallowed up, chariot and all, in a great chasm. He became immortal.

It is noteworthy that the following poem in the *Inventions* is a 'Hymne Chrestien' of which Chamard says: 'après le cri de désespoir, c'est un acte de contrition'.

XXIX. LA LYRE CHRESTIENNE (Ch., IV, 137–44)

D.B. was full of contradictions and surprises. Here he abandons the pagan Muses, the foolish (and profitless) praise of the great and of earthly things for the Christian inspiration and its particular view of immortality. Yet the charms of the ancient poetry are not easily cast off, and he asks why Christian truths should not be celebrated by making use of these embellishments. The whole question of the separation or fusion of Christian and pagan themes and images is interesting. See e.g. Ronsard's fusions in the 'Hymne de la Mort' (ed. Barbier, 69–78, esp. ll. 191–206, 330–6).

13–14 'The obviously invented matter of pagan poetry gives us no help in extolling him'.

17–18 The first commandment of the Decalogue (*Exodus*, XX).

19 *et*: and yet . . .

21 *Par*: because of . . .

25–8 Plato in the *Republic*, II, and especially X.

31 *ethnique*: pagan. In French the word seems to have been used first by Marot. Lat. *ethnicus* from Gk. *ethnikos*, adj. from *ethnos*. Church Latin used the adjective in the sense of 'pagan'.

36 *estoufée*: stifled, smothered.

58 *service* (Lat. *servitium*): servitude, slavery. These lines refer to *Exodus*, XII, 35–7.

61–4 In the construction of the Temple, Solomon received gold and fine timber from Hiram, king of Tyre. *Liber Regum* III (Authorized Version, I *Kings*), IX, 10–11.

68 *guyzarmes*: halberds.

75–6 'lords more beloved of the Muses (because, through the poets' praise, they receive their favours) than loving them (by being generous to poets)'.

79 Psalm CXLVI, 1: nolite confidere in principibus.

81–104 The Christian poet, his eyes fixed on God's will, is not deflected by vain ambitions.

105–12 This apparently Christian sentiment is expressed in terms reminiscent of Horace, *Odes*, III, iii: Justum et tenacem propositi uirum. . . . Is this an example of the principle enunciated in 49–56?

129–56 The Christian poet must not be tempted by earthly desires or vain philosophy, nor discouraged by the seriousness of Christian matter.

168 A sentiment often found in a 'classical' context; its use in a Christian one is interesting.

170–2 The Muses, daughters of Mnemosyne, sang the victory of the gods over the giants, who emerged from the bowels of the earth on the plains of Phlegra in the peninsula of Pallene, across the Thermaicus Sinus from Olympus.

174 David. Guillaume Guéroult in a poem entitled *Congratulation à Ioachim du Bellay . . . sur le discours de sa Lyre chrestienne* (1558) compares D.B. to David.

XXX. DISCOURS SUR LA LOUANGE DE LA VERTU & SUR LES DIVERS ERREURS DES HOMMES A SALMON MACRIN
(Ch., IV, 145–56)

On Salmon Macrin, see XXVI, 241, above. This 'moral' poem is a good example of D.B.'s earlier satirical vein, which will reach its perfection in the *Regrets*, and some other later poems. It illustrates also the moralizing tendency frequent in Renaissance poetry, though differing from the medieval variety in that it is now informed by the ideas of the moralists of the ancient classical world. The poem is of interest, too, in passing in review the preoccupations of the sixteenth-century man.

1–6 The allusion is to Rabelais, whom D.B. had already described (*Deff.*, 191) as 'celuy qui fait renaitre Aristophane & faint si bien le nez de Lucian'.

5 'learned ignorance'.

6 Democritus, who laughed at the follies of mankind.

18 Orque: one of the numerous names of the god of the underworld, also applied, as here, to Hell itself, which is greedy.

19–48 There is perhaps here, as Chamard suggests (IV, 146, n. 1), a development of ideas not unlike that in Cicero, *De Finibus*, III, xxii, 75–6 (the philosophy outlined by Cicero in this book is Stoicism), but, as the development progresses, it becomes more clearly a matter of personal experience and observation.

31, 37 *Si* (Lat. *si*): if.

33, 40 *Si* (Lat. *sic*), but rather in sense of *immo*: yet, nevertheless.

37–9 If nature has not given to him a physical aspect of perfect beauty.

52 Aristotle.

54 The founder of the Stoics, so-called from the Stoa or portico where they met.

73–8 The school of Pythagoras believed that the essential order of the universe consisted in number, a doctrine said to be based on the discovery of musical harmonies. Merrill and Clements, *Platonism in French Renaissance Poetry*, 68, think that it may be an echo from Plato's *Republic*, VII, 531, where Glaucon pokes fun at the students of harmony.

91–2 The traditional symbols of the medical profession.

95–6 The venality of the lawyers and judges.

99–100 Cf. Horace, *Odes*, III, i, 37–40.

103–5 'What good is it to me that I should rely for some small gain on the doubtful outcome of fights. . . .'

109ff. D.B. will often develop the themes of the deceits and deceptions of court life, especially in some of the *Regrets* (e.g. below, LXXXIV–LXXXVI) and in the *Poëte Courtisan* (below, CIII).

127–38 Two stanzas omitted: on the emptiness of philosophical or religious authority covering vicious practices.

140–1 *empetrer* (Lat. *impetrare*; the *s* in D.B.'s spelling is otiose) is used in two senses: to lay claim to, beg for; to obtain. The meaning could be either: to be ten years long a suppliant for a benefice; to be ten years in pursuit of a benefice obtained by someone else.

144 *un arrêt châtré* was one which, by definitely deciding an issue, gave rise to no further litigation. D.B. means an inconclusive lawsuit which drags on.

155 *clabauder*: bark away.

162 Horns were the popular symbol of cuckoldry.

163–8 Satire on the alchemists.

169–86 Satire of the *brave*, who varied between the swaggering young blade and the *soldat fanfaron* (and often cowardly) who appeared in many sixteenth-century comedies.

171–2 'to swear fine oaths'.

174 'to enrich the money-lender'. St. Matthew, having been a tax-gatherer, became in popular use the patron saint of money-lenders.

176 *lice, carriere*: terms of jousting and horsemanship. The following line gives a further ironical twist.

181–2 The words italicized are military terms of Italian origin. On French dislike of such terms, see Chamard, IV, 153, notes.

183 *san-dieu*: oath, abbreviated from *sang de Dieu*, and sometimes further modified to *sambieu* or *sambleu*.

184–6 Gambling, a duel and a procuress are the ingredients of a 'demi-god'.

197–8 Chamard (IV, 154, n. 2) can offer no explanation of these lines, but the source would appear to be Juvenal, *Sat.*, I, 6: necdum finitus Orestes.

200 'the frown of the Stoics'.

201 Democritus is said by some authors to have plucked out his eyes so that they should not distract him from his meditations.

202 No kind of philosophy, Diogenes's cynicism, Zeno's frown nor Democritus's kind of sacrifice can give D.B. godlike felicity.

204 Aristippus was the founder of the Cyrenaic school and, though much influenced by Socrates and his doctrines, lived an easy life.

211 Ivrée: tentatively identified by Chamard (IV, 155, n. 1) with Yvré-l'Evêque, near to le Mans, where the bishops of le Mans had an estate. The cardinal Jean du Bellay had succeeded his brother René as bishop in 1546.

213 Helicon was in Aonia: the Muses are sometimes called Aonides.

216 Augustus's friend and minister, patron of Vergil and Horace, is assimilated to Jean du Bellay, patron of Joachim and of Salmon Macrin, who wrote some of his Latin poems in the cardinal's honour.

220 Note transitive use of *rire*.

XIII SONNETZ DE L'HONNESTE AMOUR (February 1552)

In 1549 appeared the *Erreurs Amoureuses* of Pontus de Tyard, a disciple of Maurice Scève; Ronsard and D.B. were impressed by his verse, as he in due course by theirs. His later work shows the influence of the 'Brigade', while D.B., already the author of some platonistic sonnets in the *Olive* (e.g. above, XXIII) and perhaps not to be outdone in the platonistic vein, wrote his *Sonnetz de l'Honneste Amour*. Some are obscure or over-refined in their imagery and diction and full of stock platonic phrases like 'alambic', 'cinquiesme essence' etc., but they are not without interest as specimens of a reaction against Petrarchising. The sonnets form part of the 1552 volume which also contains the *Inventions* of which samples have just been given.

XXXI (Ch., I, 140)

The Petrarchan devices of repetition, the negative catalogue, the conventional images for the mistress's physical beauties are all used, then, as it were, rejected in favour of the platonic spiritual beauties.

XXXII (Ch., I, 146)

9 Cf. Horace, *Odes*, III, xxv, 18: nil mortale loquar; and Vergil, *Aen.*, VI, 50, which D.B. translates in his version (published posthumously, 1560): Rien de mortel sa langue plus ne sonne (Ch., VI, 344, line 86).

12–14 The myth of Hercules on Oeta is similarly used by Castiglione, *Cortegiano*, IV, lxix: '. . . e per tal incendio dopo morte esser restato divino ed immortale'. Merrill and Clements, *op. cit.*, 35–6, think Castiglione may have taken the idea from Lucian's *Hermotimus*.

RECUEIL DE POËSIE (Second edition, March 1553)

This second edition of the *Recueil de Poësie* contained, along with the various ingredients of the 1552 edition, four additional pieces, of which one was the translation of part of the *Aeneid*, V, 'La Mort de Palinure', one a rather dull 'Elegie', another a 'Chanson' and the oft-quoted 'A une Dame'.

XXXIII. A UNE DAME (Ch., IV, 205–15)

This poem, so often cited as D.B.'s formal abandonment of the Petrarchan manner, bears the mark of a movement towards a more natural style, free from Petrarchan conceits. Lines 241–8 take a platonistic tone which, though it fits in with the general tendency of the *Sonnetz de l'Honneste Amour*, appears to be used ironically. Cf. Chamard, *HP*, I, 278–9; V. L. Saulnier, ed. of *Divers Jeux Rustiques*, Geneva, Droz, 1947, 82. In January 1558 the *Jeux Rustiques* contained a recasting of this poem under the title 'Contre les Petrarquistes'; the main variants of this version are recorded in these notes. The earlier form has been chosen here as representing the poet's 'premier jet' and, on the whole, a clearer satirical approach. The text given is that of the 1553 edition, Paris, Cavellat.

25 *tors*: torts, wrongs, insults. They insult their mistresses by saying that it would be better to encounter an angry Diana (as in the instance of Actæon) or Medusa (and be turned to stone) or lose one's life in losing a race with Atalanta.

33–40 This stanza is omitted from the 1558 version.

36 'the horn of plenty': Amalthea was nurse to the infant Zeus, whom she fed with the milk of a goat. The goat's horn was broken off, and Zeus gave to it the power of being filled with all the good things that the possessor might desire.

45 *sçavous*: contracted form for *sçavez-vous*.

47 *voirra*: for some time the form *verra* had undergone the competition of this form, based on the Infinitive with appropriate inflections by analogy with Futures such as '*chanter-a*', '*ouir-a*'. Ewert, 335.

49–56 Omitted from the 1558 version.

61 Sisyphus was punished for his deceit by having, in Hades, to roll a great stone to the top of a hill whence it immediately rolled down again. Ixion was punished for ingratitude by being chained to a wheel which revolved perpetually.

63–4 The 1558 version substitutes:

> Et l'estomac qui pour punition
> Vit & meurt à sa peine,

thus identifying Tityus, punished for rebellion by being stretched on the ground in Hades while vultures tore his perpetually renewed liver.

80 After this verse are inserted in 1558 the lines here numbered 169–76 and 225–32.

81–4 Cf. Ronsard, ed. Barbier, no. XXI (1555!).

93 Montgibel: Etna.

95–6 Cf. D.B.'s translation of Vergil, *Aen.*, VI, 282–4 (Ch., VI, 358):

> D'un grand vieil Orme au milieu se respandent
> Les longs rameaux, & les vieux bras, ou pendent
> Sous chasque fueille un milion de songes,
> Pleins (comme on dit) de fables & mensonges.

97–104 Omitted in 1558.

99 The swan; see above, IX, 4.

104 The gate through which passed false and deluding dreams.

108 Prometheus, punished for stealing fire from heaven by being chained on Mt. Caucasus, where an eagle by day devoured his liver, which was restored each night.

110 *estre veu*: based on Latin *videri*, to appear, to seem to be.

112 Proteus, the old man of the sea with prophetic powers. He had to be caught asleep, whereupon he would change himself into many shapes; if he were firmly held, eventually he would resume his own form and prophesy.

129–44 In 1558 these two stanzas are in reverse order.

137–44 Note the association of Petrarch with Catullus as 'mignard', in contrast to the 'simpler' Propertius and Ovid.

145–52 The myth of the Androgyne is recounted by Aristophanes in Plato's *Symposium* or *Banquet*. It explained the origin of some kinds of human love thus: as well as males and females there were primitively men with four arms and four legs who displeased Jupiter and were cut in two. Now

M

the two halves, one male, one female, ardently desire to be reunited. The myth was very popular in the sixteenth century; it was translated into French by Heroët (1542).

153 Cf. Marot, Rondeau LXII:

> Au bon vieulx temps un train d'amour regnoit,
> Qui sans grand art et dons se demenoit . . .

160 Later, in the *Regrets*, D.B. frequently refers to the Italians as deceitful. 161–8 Omitted in 1558.

171 *tous*: the adverb could be used as a variable. The expression also occurs in the *Regrets*; see below, XLIV, 14. Monumens: tombs.

169–76 Moved in 1558 to follow the stanza here numbered 73–80.

177–84 Moved in 1558 to follow the stanza here numbered 209–16.

214 *empennez*: feathered like arrows and thus 'sped'.

217–24 Omitted in 1558.

225–32 Moved forward in 1558; see above, 80.

233–40 Replaced in 1558 by the following stanza:

> De voz beautez je diray seulement,
> Que si mon œil ne juge folement,
> Vostre beauté est joincte également
>   A vostre bonne grace:
> De mon amour, que mon affection
> Est arrivée à la perfection
> De ce qu'on peult avoir de passion
>   Pour une belle face.

241 *tel style*: replaced in 1558 by *Petrarque*.

LES ANTIQUITEZ DE ROME (March 1558)

We depart here from a strict chronological order of publication. The *Jeux Rustiques* and the *Regrets* appeared in January 1558, while the *Premier livre des Antiquitez de Rome . . . Plus un Songe ou Vision sur le mesme subject* appeared in March of that year. The *Antiquitez* however, whether or not they were written earlier than the other 1558 poems—and opinions differ on this matter—do serve as a kind of heroic introduction and scene-setting, physical and moral, for the elegiac and satirical sonnets of the more famous collection. The glory of the Roman ruins had many times been described; from Petrarch onwards, writers of all sorts had described the majestic remains, had meditated on them and on the transience of mortal works. D.B.'s Latin poem, *Romae Descriptio* (see below, Appendix B) passes the Eternal City in review; the poet then perhaps proceeded to compose a French sequence, intending that it should be in two books. The second book never appeared. The *Premier livre* contained, apart from the dedicatory sonnet to Henri II, only 32 sonnets. The sonnets of the *Olive* had been in decasyllables, as were those of the *Honneste Amour*; now in the *Antiquitez* we find decasyllables and alexandrines used in alternate sonnets, while the rhyme-schemes of the tercets, which in earlier collections had shown the variety of forms used by Italian sonneteers, are now reduced to the two which become the regular 'French' type: CCD, EED or CCD, EDE. It seems likely that D.B. was influenced by the successful use of the alexandrine by his poet friends, especially Ronsard. *HP.*, II, 32ff., esp. 40–5. The text is that of the second 1558 impression, which Chamard has shown to be more correct than the first. See also *G.D.*, Ch. 3.

XXXIV (Sonnet III, 1558; Ch., II, 5–6)

The sonnet is based on a Latin epigram much admired at the time and perhaps by Janus Vitalis, neo-Latin poet of Palermo. Text and details Ch., *loc. cit.*

7 *quelquefois*=jadis, une fois, as often in D.B.

XXXV (Sonnet VI, 1558; Ch., II, 9)

Based on Vergil, *Aen.*, VI, 781–7. Ch., *loc. cit.* gives text of D.B.'s translation of the passage in his version of *Aen.*, VI.

1, 5 Berecyntia was a surname of Cybele, who was worshipped in Phrygia (Mt. Berecyntus). The Greek Rhea, wife of Chronos and mother of many of the Olympian gods, was later identified with Cybele, the Magna Mater Deorum. She was represented as a majestic female, crowned with towers, seated on a throne surrounded by lions or in a chariot drawn by lions.

10 Cf. Horace, *Ep.*, xvi, 2: Suis et ipsa Roma uiribus ruit.

11 'Destiny'.

XXXVI (Sonnet XIII, 1558; Ch., II, 14–15)

D.B. in spite of his reaction against Petrarchism, still uses devices such as that of negative enumeration, as here.

3 *degast*=havoc, devastation carried out by the enraged soldiers.

10–11 The Tiber frequently overflowed its banks; cf. Horace, *Odes*, I, i, 13–16.

XXXVII (Sonnet XIV, 1558; Ch., II, 15–16)

1–4 Based on Ariosto, *Orl. Fur.*, XXXVII, cx.

10 braver: behave with bravado. The image of this tercet is from *Iliad*, XXII, 369–75.

11–12 In the Roman triumph, the vanquished were led in chains.

14 The antithesis seems based on Sannazaro: Del vero vincitor si gloria il vinto. Ch., *ad loc.*

XXXVIII (Sonnet XV, 1558; Ch., II, 16)

2 *jouissant*: when you enjoyed.

5 *ainsi*=Lat. *sic*, introducing optative: 'So may the dark banks . . .'.

6 Vergil, *Aen.*, VI, 423: 'ripam irremeabilis undae', which D.B. translates in his version of *Aen.*, VI: (Ch., VI, 367)

> . . . & a l'onde laissee,
> Qui au retour ne peult estre passee.

7 The Styx was said to flow round Hades in seven or (as here, based on *Aen.*, VI, 439) nine loops.

8 *images*: because the inhabitants of Hades were unsubstantial shades.

XXXIX (Sonnet XVIII, 1558; Ch., II, 18–19)

1–4 Reminiscences of Propertius, Ovid and Buchanan seem to be combined here; cf. Ch., *ad loc.* Cf. below LII, 12 and LXXXVII, 7–8.

6 *l'annuel pouvoir*: that of the Roman consul.

8 *le pouvoir de six mois*: the dictatorship, instituted after the expulsion of the

Tarquins, was limited to six months; eventually it became one of the bases of the Imperial power.

12 *le successeur de Pierre*: the Pope, *fatal*: imposed by destiny.

SONGE OU VISION

Based upon Petrarch's canzone beginning: 'Standomi un giorno, solo, alla fenestra . . .', which had been translated into French by Clément Marot, 'Des Visions de Petrarque'. In his dream the poet sees Rome represented by a number of symbolic objects, all of which are destroyed. D.B. develops the Petrarchan model into 15 sonnets, of which the following is a fair specimen. On the *Songe, HP,* II, 45–7.

XL (Sonnet IV, 1558; Ch., II, 32)

10–11 'It appeared to have been made by the hand of Vulcan'.

LES REGRETS (January 1558)

Les Regrets et autres œuvres poëtiques consisted of 191 sonnets, all in alexandrines, all but one adopting the 'French' tercet rhyme-schemes, all but a few observing the alternation of masculine and feminine rhymes. The sonnets are arranged in an order clearly other than that of composition; they are grouped as follows: introductory sonnets; elegiac sonnets; sonnets transitional between elegiac and satirical; satirical sonnets dealing with Roman people, institutions and events; sonnets on his journey back to France; sonnets written after his return to Paris, some of them being complimentary ones to or about the king, Madame Marguerite, or other great personages, some to poets, some satirical comments on life at court. The *Regrets* are without doubt D.B.'s finest work, and his skill as a satirist, already shown in earlier work, is fully and delicately developed. Whether he is lamenting or attacking, his earlier training as humanist and Petrarchan remains a strong influence: classical allusions, rarely obscure or difficult, imitations or reminiscences of Greek, Latin, or non-Latin poets, Petrarchan devices of repetition, enumeration, antithesis and the like are all present. In spite of all these—or rather, perhaps, because of the way he uses them, D.B. remains in this collection a completely original and personal poet. It is uncertain whether the Latin *Poemata*, which often contain the same matter, were all written before the French sonnets. The flavour of the *Regrets* is well summed up in the Latin 'Ad Lectorem' which he prefixed to his book:

> Quem, Lector, tibi nunc damus libellum,
> Hic fellisque simul simulque mellis
> Permixtumque salis refert saporem.
> Si gratum quid erit tuo palato,
> Huc conviva veni: tibi haec parata est
> Coena. Sin minus, hinc facesse, quaeso:
> Ad hanc te volui haud vocare coenam.

The text given below is that of the second impression (Paris, Federic Morel, 1558–9), which, as Chamard has shown (II, Intr. viff.), is more correct than the first. See also G.D., *passim*.

XLI.   A MONSIEUR D'AVANSON (Ch., II, 45–51)

The collection is dedicated to Jean de Saint-Marcel, seigneur d'Avanson, the French king's ambassador to the Holy See. Several sonnets in the *Regrets* and one of the *Poemata* are addressed to him. Others are addressed to Olivier de Magny, his secretary, who came to Rome with him in 1555. This dedicatory poem of 108 verses in stanzas of four opens with a clever imitation of Ovid, *Tristia*, IV, i, 1–44; this imitation is never slavish and has a distinct ring of sincerity about it; the poet has completely assimilated Ovid's sentiments to his own circumstances. In his exile, D.B. has turned to poetry for consolation, but his verses are humble ones; but, as he leaves the Ovidian model, he adds that they mingle the thorns of satire with the flowers of regret. The last stanzas (ll. 85–108), omitted below, are a tribute to D'Avanson.

3 *l'aage*: not his age in years, but the age in which he lives, as the Ovid text makes clear:

> Si qua meis fuerint, ut erunt, uitiosa libellis,
> Excusata suo tempore, lector, habe.

5 Italy was at this period the scene of incessant and complicated struggles mainly between France and Spain, but with the Italian states, including the Papal state, taking part as circumstances dictated or tempted.

6 D.B. was 28 when he went to Rome in 1553; he often refers in his poems to his premature ageing, which seems to have been genuine.

8 *acquerre*: old infinitive (*adquaerere*) still surviving alongside *acquérir*.

12 *au travail de sa peine*: the tautology is only apparent. *travail*=souffrance; *de sa peine*=causé par ses efforts.

13 *dessus*: often used where modern French would use *sur*.

16 *esprouver*=trouver, sentir.

17 *ire*: at the loss of his mistress Briseis, whom he had captured, but was compelled to surrender to Agamemnon. Achilles retired to his tent, refused to budge and henceforward regarded Agamemnon as his enemy.

21–4 Orpheus lost Eurydice twice: at her death, and again after her release from Hades when, after breaking the conditions he had accepted, he turned to look at her.

21 *flattoit*: softened.

23 *cil*: modern *celui*. The old subject form *cil*, still found in the seventeenth century, was condemned by Malherbe.

39 This sense of duty is reflected in a number of the sonnets; e.g., below, LIV, LIX, LX.

44 *la source de Meduse*: Ovid has *Pieridum*, i.e. of the Muses. The spring of Hippocrene gushed forth where hoof of Pegasus struck; Pegasus sprang from the blood of Medusa, slain by Perseus.

47–8 *appaz—lien—englué* may appear a rather mixed metaphor!

49–52 The allusion is to the Lotophagi in the *Odyssey*; those who ate the lotus lost all desire to return to their native homes.

53–6 The Ovidian model is treated very freely here.

58 *le doulx trait*: the shaft of the Muses, the *aiguillon* of 60.

60 *cest*: the demonstrative adjective.

62 *la saincte deité*: the divine inspiration. Ovid has *furor*.

67 *charme* (Lat. *carmen*): charm, enchantment, incantation.

69–72 The priestess of Bacchus, when subject to frenzy, was insensible to pain.

71 *thyrse*: the thyrsus, a pole crowned with a pinecone or grapes or

garlanded with vine or ivy-leaves, was used as a weapon by Bacchus; it
concealed in its head an iron point whose wound inflicted madness. The
imitation of Ovid ceases with this line.

81–4 note the emphasis on the satirical rather than the elegiac aspect
of the *Regrets*.

XLII (Sonnet I, 1558; Ch., II, 52)

The first book of Ronsard's *Hymnes* appeared in Paris in November,
1555, and it is to some of its contents that this sonnet seems to refer, particularly to the *Hymnes de la Philosophie, des Daemons, du Ciel* and *des Astres*.
The poet insists on the intimate, personal and day-to-day nature of *his*
inspiration.

6 *argumens*: matters, subjects.

7 *accidents*: chance happenings.

11 *secretaires*: confidential companions.

12 *pigner*=peigner.

XLIII (Sonnet II, 1558; Ch., II, 53–4)

On Pierre de Paschal, see above, XXVI, 244. For the abandonment of
lofty poetry, see below, XCIX.

2 l'Ascrean: Hesiod of Ascra in Bœotia at the foot of Helicon. *la double
cyme*: Parnassus.

4 *l'onde au cheval*; see above, XLI, 44. Lines 1–4 are closely imitated from
Persius, *Sat.*, prol. 1–3.

8 Again Persius, *Sat.*, I, 106.

12–14 D.B.'s pride in craftsmanship reasserts itself in this statement of the
doctrine of 'la facilité difficile'. Cf. Boileau: 'Il y a bien de la différence
entre des vers faciles et des vers facilement faits', Préface of 1701.

XLIV (Sonnet IV, 1558; Ch., II, 55)

1 This is an apparent abandonment of the doctrines of the *Deffence* (II,
iv): 'fueillette de main nocturne & journelle les exemplaires Grecz et Latins',
which derives in turn from Horace, *Ars Poet.*, 268–9. *exemplaires*: models.

14 Cf. above, XXXIII, 171.

XLV (Sonnet V, 1558; Ch., II, 55–6)

5 There is no distinction felt or intended by D.B. between 'arts' and
'sciences'.

8 *fables*: invented matter.

10 *fascheux*: ill-tempered, morose.

12 'the self-satisfied'.

14 The technique of the telling last line, giving to the sonnet an epi-
grammatic flavour, is here very clear. D.B.'s skill in this practice makes him
one of the founders of the modern conception of the sonnet. Cf. Vauquelin
de la Fresnaye, *Art Poetique*, I, 587–90.

XLVI (Sonnet VI, 1558; Ch., II, 56–7)

1 *Las*=hélas.

3 *Cest*: demonstrative adjective. *honneste*: honourable.

4 *flamme*: ardour, inspiration.

5–8 Cf. Horace, *Odes*, I, iv, 5.

9 *maistresse de moy*: not merely for rhyme, but for emphasis.

11 *ennuyent*: strong sense of 'afflict, torment'.

14 Cf. *Patriae Desiderium*, 59–60; see below, Appendix B. The first quatrain also has its counterpart in one of the Latin *Poemata*, an elegy to Ronsard.

XLVII (Sonnet IX, 1558; Ch., II, 59–60)

The salutation to the poet's country has an ancient model in Vergil, *Georg.*, II, 173, and a more recent one in Petrarch's

> Armorum legumque eadem veneranda sacrarum
> Pieridumque domus . . .

The lamb theme is taken from a sonnet of Pamphilo Sasso (text in Ch., *ad loc.*). In spite of this array of 'sources', D.B.'s sonnet has the freshness of originality.

5 *quelquefois* = jadis.

7 *querelle*: lament, complaint.

12 'have no lack of pasture'.

XLVIII (Sonnet X, 1558; Ch., II, 60)

1 *le fleuve Thusque*: The Tiber is called 'Tuscus amnis', 'Tuscum flumen' by various Latin poets.

2 *le mont Palatin*: one of the 'seven hills of Rome'. Cf. G.D., 47.

3 D.B. had not only abandoned Petrarchism and his condemnation of translation, but also his doctrine that poets should write in their native language; see XII above. Here he gives his reasons to Ronsard, who had addressed to him (in the *Continuation des Amours . . .* of 1555) a sonnet beginning:

> Ce pendant que tu vois le superbe rivage
> De la riviere Tusque & le mont Palatin,
> Et que l'air des Latins te fait parler Latin,
> Changeant à l'étranger ton naturel langage . . .

D.B. also excused himself, though not very clearly, in the introductory poem of his *Poemata*, 'Cur intermissis Gallicis Latine scribat'.

6 Aventin: another of the seven hills of Rome. Probably here simply as a picturesque metonymy for Rome. Cf. G.D., 45.

9–11 Recourse to the Ancients could be used in many ways! Ovid frequently explains his recourse to the 'sermo Geticus'; many texts indicated by Chamard, *ad loc.*

XLIX (Sonnet XV, 1558; Ch., II, 63–4)

On the duties of the intendant, see G.D., 92.

1 Panjas: Jean de Pardeillan, protonotaire de Panjas, in Rome as secretary to one of the French cardinals, though opinions differ as to which. Panjas wrote verse in French and Latin, but they do not appear to have been printed.

9–12 *Qui . . . qui . . .* See above, XXVI, 213–4.

10 *consistoire*: assembly of cardinals, presided over by the Pope; sometimes used for an ecclesiastical court.

L (Sonnet XVI, 1558; Ch., II, 64–5)

1 See introductory note to XLI, above.

5 *Tu*: D.B. appears to be addressing Ronsard and to be thinking particularly of his *Hymne de Henri II* (ed. Barbier, 48–66).

12–14 The death-song of swans, who 'sing then more than ever' had been mentioned by Plato in the *Phaedo*, xxv; a more direct reminiscence, perhaps, is Vergil, *Aen.*, XI, 456–8.

LI (Sonnet XVII, 1558; Ch., II, 65)

This sonnet too is probably addressed to Ronsard.

5 *plage*: riverbank. The sense had not yet been specialized to 'sea-shore'.

6–8 *le nautonnier sourd*: Charon, who ferried souls across the Styx for a fee.

9–11 Ronsard is pictured as, with the blessed, in the Elysian Fields (of success) with his mistress and

12–14 'as, having drunk of Lethe, forgetful of all his past'. Cf. above, XXVI, 44.

LII (Sonnet XIX, 1558; Ch., II, 66–7)

1 Allusion to Ronsard's *Amours de Cassandre*, that poet's first collection of sonnets (1552).

2 *l'heritier d'Hector*: the Dauphin.

3 Anne de Montmorency, Connétable de France since 1537. Ronsard celebrates him in the *Hymne de Henri II*, 441ff., and calls him 'ce vieux Nestor' (ed. Barbier, 58).

12 Cf. above, XXXIX and, below, LXXXVII.

14 'happiness or good fortune'.

LIII (Sonnet XXV, 1558; Ch., II, 71–2)

1 Cf. Petrarch, sonnet 47:

> Benedetto sia'l giorno, e'l mese, e l'anno,
> E la stagione, e'l tempo, e l'ora, e'l punto . . .

6 *signifiance*: warning, notice. The whole sonnet is full of unfavourable omens.

LIV (Sonnet XXVII, 1558; Ch., II, 73)

3 The Alps which he crossed on his way to Rome. He had an attack of fever on the way over. *HP*, II, 36–7.

LV (Sonnet XXIX, 1558; Ch., II, 74)

5 *voyager* or *voyagier* (adjective).

7 *ains* = mais.

8 *sejourner*: to stay in one place.

LVI (Sonnet XXXI, 1558; Ch., II, 76–7)

Cf. *Patriae Desiderium*, 45–56; see below, Appendix B. See also below, LXXIX, which is a disillusioned postscript to this sonnet.

2 *cestuy là*: old and almost obsolete demonstrative. It refers of course

to Jason who, after a long voyage with the Argonauts, obtained the Golden Fleece.

3 *usage*: experience.

5–6 Cf. Ovid, *Pont.*, I, iii, 33–4: . . . optat / Fumum de patriis posse uidere focis; Marot, *A la Royne de Navarre*: Et vue de loing son village fumer.

5, 7 *revoiray-je*: see above, XXXIII, 47.

8 *province*: like that of a Roman proconsul.

11 Slate is produced in large quantities in Anjou.

13 Lyré: a small village, a couple of miles south of the Loire, from which D.B. came; in correspondence after his return to France, he is often addressed as Monsieur de Liré.

LVII (Sonnet XXXII, 1558; Ch., II, 77)

5 The verb 'esbatre' could be used transitively at this time; now it can be used only pronominally (s'ébattre). The more normal form of the future would be 'esbatray', but such intercalations of *e* are fairly common.

9 *discours*: thoughts, intentions.

LVIII (Sonnet XXXIX, 1558; Ch., II, 82)

3 *deguiser*: dissimulate.

4 *simplicité*: of heart.

6 *honneurs*: ranks in the hierarchy.

10 *ennuis*: in strong sense, woes, troubles, afflictions.

11 'I have to resort to reasoning and argument'.

13 *mesnager*: allusion to the duties incumbent upon him as the Cardinal's intendant.

LIX (Sonnet XLIV, 1558; Ch., II, 86)

This sonnet has a deeper ring than most of the elegiac sonnets of the collection. In her Cambridge Ph.D. thesis on the influence and imitation of Catullus in the sixteenth century (272–3), Dr. Mary Morrison points out the general similarity of feeling (though the circumstances are different) between this sonnet and Catullus LXXVI. In her article 'Ronsard and Catullus' (*Bibliothèque d'Humanisme et Renaissance*, XVIII, 1956, 250), she suggests that Muret and his commentary on Catullus may have been to some extent responsible for 'the crop of "Catullan" poetry which appeared from 1552 onwards', including some of the *Poemata* of D.B.

LX (Sonnet XLIX, 1558; Ch., II, 89–90)

Jean du Bellay had aroused the jealousy of fellow ecclesiastics in Rome after the election of Paul IV in May 1555, because the title of 'Dean of the Sacred College' had been conferred on him. Secret reports sent to Henri II by the Cardinal's ill-wishers, and perhaps the Cardinal de Lorraine in particular, brought him into disfavour with the king.

5 *haineux estranger*: the cardinal Carlo Caraffa, the Pope's nephew, at the instigation of the Cardinal de Lorraine, according to the historian De Thou; for text, see Ch., *ad loc*.

13 *abysmer*: sink.

LXI (Sonnet LIII, 1558; Ch., II, 93)

The quatrains closely follow Catullus, V, 1–6.

1 Gordes: Jean-Antoine de Simiane (1525–62), seigneur de Cabanes et de Gordes, Apostolic Protonotary. A number of other sonnets in the *Regrets* are addressed to him, as are also some of the *Poemata*.

LXII (Sonnet LXII, 1558; Ch., II, 99–100)

1 *Le ruzé Calabrois*: Horace, who was born in Apulia, which was sometimes regarded as embracing Calabria.

4 The quatrain as a whole is based on Persius, *Sat.*, I, 116–18.

6 *nul ne me donne*: let no one give me . . .

9–11 An interesting definition of satire. I have been unable to find a classical formula corresponding closely to D.B.'s, but a definition of comedy, attributed by Aelius Donatus to Cicero, describes comedy as 'imitationem uitae, speculum consuetudinis, imaginem ueritatis' (See my *Handbook of French Renaissance Dramatic Theory*, Manchester Un. Press, 1950, 12 and 21, n. 8. Cf. also Terence, *Adelphoe*, 415–16: inspicere tamquam in speculum in uitas omnium / iubeo atque ex aliis sumere exemplum sibi.) Dilliers: or D'Illiers, a friend of D.B. and of Magny.

LXIII (Sonnet LXVI, 1558; Ch., II, 103)

It is possible, though not proven, that this sonnet, like several others, is an attack on the humanist Louis le Roy or, as he latinized his name, Regius. The juxtaposition of 'pedant' and 'roy' in the second quatrain appear to support this suggestion of H. Becker, *Loys le Roy*, 1896, 18–24; see Ch., II, 102, n. 1.

4 *Aristarq'*: Aristarchus of Samothrace, grammarian and critic, second century B.C.

5 *Paschal*: see above, XXVI, 244.

pedant': the Italian *pedante*, was transliterated into French with the same spelling; the more French form *pedant* soon appeared. The form here is something of an orthographical compromise.

10 *regents*: schoolmasters.

11 *province*: area of jurisdiction, as the province was of the Roman proconsul.

12 The Tyrant of Syracuse, Dionysus the Younger (fourth century B.C.) was expelled from his city and went to Corinth, where he is said to have made a living by keeping a school.

LXIV (Sonnet LXVIII, 1558; Ch., II, 104–5)

This sonnet, as its forcible last line shows, was directed against pedantry, but it gives an interesting review of D.B.'s (and, no doubt, widely accepted) views on a number of national characteristics.

2 *le sens mal arresté*: the unstable mind.

3 See below, LXXXI, 11 and LXXXII.

5 D.B., passing later through Ferrara, thought little of it. In sonnet CXXXII, 10–11, he says:

Car je ne vouldrois pas pour le bien de deux Rois,
Passer encor' un coup par si penible enfer.

6 The Lombards, originally from E. Germany, settled in Italy and were

gradually absorbed by the native population. They took a prominent part in commerce and banking.

8 *poltron*: D.B. many times attaches this epithet to the Roman of this day. *exercice*: energy, initiative.

9 *mutin*: headstrong, stubborn, unruly. This epithet was frequently applied to the English in the sixteenth century.

brave: swashbuckling, acting with bravado; 'fier comme un Ecossais'.

LXV (Sonnet LXXVII; Ch., II, 110–11)

7–8 Cf. Horace, *Odes*, II, ix, 1–3; Non semper ... / ... mare Caspium / uexant inaequales procellae; II, X, 19–20: ... neque semper arcum / tendit Apollo. In the *Iliad*, I, and elsewhere, Apollo smites the Greeks for evil deeds.

10 *deguisee*: false, pretended.

14 *riz Sardonien*: the sardonia, a plant said to come from Sardinia, was said to screw the eater's face into a grimace resembling a laugh. Ch., *ad loc.*, has an interesting note.

LXVI (Sonnet LXXIX, 1558; Ch., II, 112)

Note the repetitive technique carried through right to the last line, which has an unexpected and witty twist.

6 Madame Marguerite.

9 Henri II.

LXVII (Sonnet LXXX, 1558; Ch., II, 113)

1 The Vatican.

3 *tabourins*: drums. An allusion to warlike preparations.

4 The pomp of the cardinals.

5–6 In the banks not only were high rates of interest charged, as D.B. discovered in the course of his duties, but news, true and false, exchanged.

7–8 These verses are not without some bitterness on the failure of French military enterprises. The defeat of the Francophile Florentines by Cosmo de' Medici had sent many into exile at first to Siena. Strozzi, a Florentine who had become 'maréchal de France', was defeated at Marciano in August 1554, and Siena was finally taken by the Medici and Spanish forces in April 1555, when Florentine and Sienese exiles flocked to Rome, encouraged by the accession of Caraffa to the Papacy. Cf. G.D., 114–15, 117–18, 123.

10 The courtesans, who will be satirized by D.B. in a number of sonnets.

LXVIII (Sonnet LXXXV, 1558; Ch., II, 117)

3–8 Marot in his *Epistre à Mgr le Dauphin, du temps de son exil*, 55ff., says much the same thing: Car ces Lombards avec qui je chemine / M'ont fort appris à faire bonne mine; / A un mot seul de Dieu ne deviser, / A parler peu, et à poltronniser. / Dessus un mot une heure je m'arreste; / S'on parle à moy, je responds de la teste.

8 *gouverner*: manage, deal with.

13 Morel: Jean de Morel d'Embrun, close friend of D.B., high dignitary in the royal household. A correspondence between these friends was published by Pierre de Nolhac, *Lettres de Joachim du Bellay*, Paris, 1883.

LXIX (Sonnet LXXXVI, 1558; Ch., II, 118)

3–4 See above, note to LXVIII, 3–8.
5 *Et cosi*: for *E cosi*, a polite formula of agreement and interest.
6 *contrefaire l'honneste*: pretend to be courteous.
8 Exiles from Naples as well as from Florence (see above, LXVII, 7–8)
had come to Rome after the successes of anti-French forces.
9 'Make everyone a lord by kissing his hand'.
14 *Sans barbe*: allusion to alopecia, from which D.B. seems to have
suffered in Rome. He refers to it sometimes in connection with the courtesans, when as probably here, he means the type resulting from venereal
disease. Cf. G.D., 73.

LXX (Sonnet XC, 1558; Ch., II, 121)

1 Bouju: see above, XI. Les Nymphes Latines: the Roman women,
especially the courtesans.
2, 3 *Pour couvrir . . . pour masquer*: even if they conceal . . . etc.
2 *privauté*: normally 'intimacy, familiarity', but here more probably in
the sense of *privance*: affability, pleasantness of manner.
8 Alcines: allusion to Alcina, the beautiful enchantress in the *Orlando
Furioso* of Ariosto.
9–14 The tercets are almost a translation of Terence, *Eunuchus*, 934–40:
Quae dum foris sunt, nil uidetur mundius / . . . / harum uidere inluuiem
sordes inopiam / quam inhonestae solae sint domi atque auidae cibi / . . . /
nosse omnia haec salutist adulescentulis. This close parallel has not, to my
knowledge, been noted before.

LXXI (Sonnet XCI, 1558; Ch., II, 122)

This sonnet is a fairly close imitation of one by Francesco Berni (1497–
1535), who wrote much humorous verse including burlesque of the
Petrarchan manner, as here. Berni's text is given by Chamard, *loc. cit.*
14 *Pour estre mortel*: because (or although) I am but mortal . . .

LXXII (Sonnet CIV, 1558; Ch., II, 134)

This sonnet is the French counterpart of a Latin epitaph to Julius III
in D.B.'s *Poemata* (text in Ch., *ad loc.*). Julius III was elected Pope in 1550
and, after a pleasure-loving life, died in March 1555. His alleged taste for
strongly-flavoured food is satirized. The epitaph, like many ancient ones, is
addressed to the *Viator* or passer-by, who is usually asked to pronounce
some formula, such as 'Sit tibi terra leuis' or to perform some ritual act.
Cf. GD., 118–19.
3 *S'on*: si on.

LXXIII (Sonnet CIX, 1558; Ch., II, 139)

This sonnet also corresponds to one of the *Poemata* (text in Ch., *ad loc.*).
On the death of Julius III, the new Pope was Marcellus II, who died after
a reign of only twenty-one days. D.B. pretends, in this satire on Julius III,
that the death of Marcellus, who was a strict and upright man, was due to
the stench when he tried to cleanse the Church after the evil living of his
predecessor. Cf. G.D., 119–20.
5 *levé la bonde*: raised the sluice.
14 One of the labours of Hercules.

LXXIV (Sonnet CXI, 1558; Ch., II, 141)

A neat double-barrelled satire on the Emperor Charles V, who in 1555 abdicated in order to retire to a monastery and on the Pope Paul IV, elected on the death of Marcellus II, and who, at the age of 79, began military preparations against the Spanish. On the text, see Ch., II, 135, critical note. Cf. G.D., 134, n. 5.

3 Morel: see above, LXVIII, 13.
4 *ce grand Tout*: the firmament.

LXXV. (Sonnet CXIV, 1558; Ch., II, 144)

The inaccessibility of the Popes and the numerous officials by whom they were surrounded are responsible for the Pontiffs' lack of knowledge of what is going on outside and its effect on the people.

5 Seigneur: probably the Cardinal Jean du Bellay.
6 *estuy*=étui, case, box.
9 *enfans*=like children.
10 *gomphanons*: standards.
12–14 Nero. Cf. Suetonius, *Vitæ Caesarum, Nero*, XXXVIII.

LXXVI (Sonnet CXVIII, 1558; Ch., II, 146–7)

A general satire on the insecurity of the holders of office in the Papal service compared (as also in sonnet CXII) unfavourably with the service of the French king. All masculine rhymes.

7 *cautement*: carefully, craftily.
12 *le fer meurtrier*: the sword of Damocles. *le rocher*: the rock suspended over the Lapithae or their king Pirithous according to Vergil, *Aen.*, VI, 602–3, who is the only poet to ascribe to Pirithous the same punishment as that sometimes allotted to Ixion, his father.
14 *un vieux filet*: an old slender thread, i.e. an old Pope.

LXXVII (Sonnet CXXIII, 1558; Ch., II, 151)

The truce of Vaucelles was concluded in February, 1556, between France and the Empire and was to last five years. Its effect in Rome was to produce consternation in the Papal Court, which had signed a treaty with France against the Empire, and now felt itself abandoned without warning. The truce was in fact broken before the end of 1556, largely by pressure from the Guise family. Cf. G.D., 125–34.

11 'And that the common good is sacrificed to the particular'.
14 'And that we cannot recognize good fortune when it is ours'.

LXXVIII (Sonnet CXXVI, 1558; Ch., II, 153–4)

On the same truce. This wittily turned satire on the rapacity of favourites and of lawyers shows a somewhat different attitude from LXXVII, above.

4 *greve* (Lat. *grauis*): heavy, grievous.
14 A delightful last line.

LXXIX (Sonnet CXXX, 1558; Ch., II, 156–7)

The *Poemata* contain a poem addressed to Dorat, the beloved teacher of D.B. and Ronsard, of which this sonnet is a concentrated French version. (Latin text in Ch., *ad loc.*). Cf. above, LVI.

6 The courtesans of Rome (or perhaps in general the temptations there) are likened to the enchantress Circe and the bewitching Sirens of the *Odyssey*.

10 Allusion to the family disputes and litigation awaiting the poet on his return. The line is reminiscent of Terence, *Phormio*, 243; pericla, damna, peregre rediens semper secum cogitet.

12 *je suis encor' Romain*: i.e. 'poltron'.

13 *arc*: the bow of satirical poetry.

LXXX (Sonnet CXXXIII, 1558; Ch., II, 159–60)

D.B. is on his way back to France. Because of hostile forces occupying part of the land-route, he had to go part way by sea, then on by land. He pays a graceful tribute to the city of Urbino and its gracious Duke, says harsh things about Ferrara and is now recounting his reactions to Venice.

1 *Coïons*: from Italian *coglione*, Spanish *cojon*, used frequently of the Italians as a term of abuse: slack, cowardly, lacking energy. This is perhaps its first use in French.

magnifiques: Italian *magnifico*, showy, extravagant, pompous.

2 *abbord*: probably here in the sense 'approaches, environs'.

5 'the peaks of their old-fashioned hoods'.

6 Paintings of the time show Venetians wearing gowns with wide sleeves and 'pork-pie' hats.

11 *leur vivre solitaire*: cf. J. Burckhardt, *The Civilization of the Renaissance in Italy*, trans. S. G. C. Middlemore, London, Phaidon Press, s.d., 37: 'The keynote of the Venetian character was . . . a spirit of proud and contemptuous isolation'.

13–14 Allusion to annual ceremony of the symbolic wedding of the Adriatic Sea to the people of Venice in the person of the Doge. In fact, the sea-power had for a long time been passing into the hands of the Turks. For an interesting description of Venice some twenty years earlier, see Marot, *Epistre envoyée à Madame la Duchesse de Ferrare*.

LXXXI (Sonnet CXXXV, 1558; Ch., II, 161)

1 *y*: in Switzerland, on D.B.'s journey from Coire (Grisons) to Geneva.

3 *police*: political institutions.

6 *refaits*: well-nourished, plump.

7 The Swiss were famous mercenaries. Few kings in Europe were without them; hence 'compagnons . . . des Rois'. Their military prowess often inflicted defeats on kings; hence 'correcteurs'.

8 *Quart Livre*, ch. XXXVIII.

10 Yodelling?

11 *ils comptent à leur mode*: D.B. had perhaps encountered the numerals used in the dialects of the Grisons.

13 Belleau: Remy Belleau (1528–77), companion of Ronsard and D.B. at Coqueret, member of the Pléiade group and a gentle poet.

LXXXII (Sonnet CXXXVI, 1558; Ch., II, 162)

No place is mentioned by name, but it is clear from its place in D.B.'s itinerary that it must be Geneva. The Genevans, at any rate, took it as such, and a sharp reply was forthcoming in the form of an anonymous sonnet which, with D.B.'s replies to it, can be found in Ch., II, 206–10.

1 Bizet (or Bizé): Odoard Bizet, secretary to François de Guise, in Italy at the same time as D.B. Possibly kinsman of the Claude de Bizet in whose house D.B. died.

5–8 Rather obscurely put. I would suggest: 'A lightly accepted belief (creed) keeps the foolish there under a false pretext of liberty which is, in fact, constrained; guilty fugitives stay there for fear; as for the more cunning and deceitful, shame keeps them there'.

12–13 May refer to religious disputes.

14 Surely ironic, though severe penalties were exacted for oaths and blasphemies. See Ch., *ad loc.*

LXXXIII (Sonnet CXXXVIII, 1558; Ch., II, 164)

1 De-vaulx: unidentified.

10 *exercité*: trained, accustomed.

13 *badaud*: gaping.

14 *chartiers*=charretiers. *fanges*: in spite of repeated attempts by the Parlement de Paris since 1500, the organization of street-cleaning was virtually nil. Not for the first time an ordinance of 1553 forbade Parisians 'de plus jeter les immondices par les fenestres ni ailleurs'.

LXXXIV (Sonnet CXXXIX, 1558; Ch., II, 164–5)

1 Dilliers: see above LXII.

2 *de t'accoster*: to be side by side with, accompanied by . . .

8 A cynical twist to the ancient adage, e.g. Terence, *Adelphoe*, 416: ex aliis sumere exemplum sibi.

LXXXV (Sonnet CXLV, 1588; Ch. II, 168–9)

1 Belleau: see above LXXXI. *pour estre*: because you are . . .

7 *couvoitise*=convoitise.

8 Cf. Vergil, *Aen.*, IX, 641: sic itur ad astra.

9–10 'Learning is valued for its contribution to table-talk, but the hard work of the study is ridiculed by the nobles'.

11 'Beware of acquiring a reputation for it'.

12 Note how in this sonnet virtue and learning are almost identified.

LXXXVI (Sonnet CL, 1558; Ch., II, 172–3)

3 *contrefaire*: imitate, ape.

4–8 Many of the satirical passages in Renaissance literature on parasites and hangers-on seem to be based on Terence, *Eunuchus*, II, ii, esp. 250ff.: sed eis ultro adrideo et eorum ingenia admiror simul. / quidquid dicunt laudo: id rursum si negant, laudo id quoque; / negat quis: nego; aït: aio; postremo imperaui egomet mihi / omnia adsentari. Line 8, nevertheless, is most nearly matched by the Ariosto passage quoted by Chamard, *ad loc.*

LXXXVII (Sonnet CLXXXI, 1558; Ch., II, 195–6)

This sonnet, though addressed to Ronsard, is, like a whole group, in honour of Madame Marguerite, the king's sister.

12 *où*: in whom. This usage survives into the following century.

LXXXVIII (Sonnet CXC, 1558; Ch., II, 202)

D.B. laments the decay of art, of learning and of patronage.

1 *ce grand François*: François I, patron of arts and letters.

14 No doubt Pallas is here, as elsewhere, Madame Marguerite. Cf. above XXVI, 223.

DIVERS JEUX RUSTIQUES

The *Jeux Rustiques* appeared in Paris in January 1558 at the same time as the *Regrets*, under the sign of Federic Morel. The 1558 text is followed here. The collection consisted of twelve transpositions of the *Lusus* of Navagero, the Venetian neo-Latin poet who died in Blois in 1529; these were preceded by a free and vigorous version of Vergil's *Moretum* and followed by a graceful 'Villanelle'. Then came a varied assortment of poems of almost equally varied inspiration including the revised version of 'A une Dame' (above, XXXIII) and now re-entitled 'Contre les Petrarquistes', two sensuous 'Baisers', some 'Epitaphes'—on a dog, a cat and the Abbé Bonnet—, a series of three poems on courtesans and the 'Hymne de la Surdité'. I have tried to give a representative selection of these poems, some of which surprise by their return to the Petrarchan manner, others of which show the maturing of D.B.'s satirical vein and the use of a Marotic manner. See *HP*, II, 208–28.

LXXXIX. D'UN VANNEUR DE BLÉ, AUX VENTS (Ch., V, 16)

Chamard *ad loc.* gives the Latin text of Navagero, *Vota ad auras*, of which this little masterpiece is a free adaptation.

6 *esbranler*: to stir, set in movement.

16 *ahanne*: the verb goes back to the twelfth century in French and is originally onomatopoeic: pant, strive, work hard.

XC. A CERÉS, A BACCHUS ET A PALÉS (Ch., V, 17)

Translated fairly closely from Navagero's *Vota . . . Cereri, Baccho et Pali Deae*; Latin text, Ch., *ad loc.* The following piece in the *Jeux* is a freer adaptation in *vers rapportés*.

1 Cerés: or Demeter, earth-goddess and protectress of crops, especially of cereals; she is often represented crowned with or carrying ears of wheat.

2 Bacchus and Ceres are often associated in ancient texts, e.g. sine Cerere et Libero friget Venus, Terence, *Eunuchus*, 732.

3 Palés: a Roman god and afterwards goddess, protectress of flocks, shepherds and pastures.

XCI. D'UN BERGER, A PAN (Ch., V, 18–19)

From *Lyconis vota Pani Deo* of Navagero; Latin text, Ch., *ad loc.* A well 'Frenchified' version.

7 *trebucher*: stagger, fall; i.e. he kills her.

9 *fanneaux*: fawns.

16 *cogneu*: well known to Pan.

XCII. DE DEUX AMANS, A VENUS (Ch., V, 21-2)

From Navagero's *Vota Veneri ad felicitandos amantium amores*; Latin text, Ch., *ad loc.*

XCIII. D'UNE NYMPHE, A DIANE (Ch., V, 22–3)

Free adaptation of Navagero's *Vota Niconoes ad Dianam*; Latin text Ch., *ad loc.*

4 *lesse*=laisse: leash. She hangs up her instruments of the hunt.
9 Latona or Leto, mother of Apollo and Diana (Artemis).
10 'Upon whom it is still my duty to call'.
16 Lucine: used as a surname for both Juno and Diana. It is Diana Lucina, protectress of childbirth, who is invoked here.

XCIV. A VENUS (Ch., V, 24–5)

Adapted freely from Navageo's *Thyrsidis vota Veneri*; Latin text, Ch., *ad loc.*

3 *arres*=*arrhes*, earnests, pledges.

XCV. VILLANELLE (Ch., V, 27–8)

The *villanelle* (Ital. villanella), originally a rustic round, then a pastoral poem to be sung to a rustic dance, was of very varied and loose form until after the sixteenth century. The type now regarded as 'regular' is the famous 'J'ai perdu ma tourterelle' of Passerat (1545–1606), based on the tercet. The rhyme-scheme in the present poem is worthy of attention: ababbcbc, the final bc being the refrain. The preceding sizain, it will be observed, is not a two-rhyme structure, but introduces a third rhyme which is echoed in the refrain, thus binding the refrain closely to the body of the stanza. D.B. can be congratulated on having adopted a delicate but strong framework. Note also the repetition of 20–21, and the near-repetition of 19–27. *HP*, II, 219.

2 *qu'*=lorsque.
12 *confite*: steeped.
27 *desperé*: the verb 'desperer' (Lat. desperare) is found from the twelfth century alongside 'desesperer'.

XCVI. CHANT DE L'AMOUR ET DU PRIMTEMPS
(Ch., V, 37–46)

Chamard dates this poem, largely by interpreting its lines 9-10 ('Chante l'Aigle abandonné/De son Espaigne fuytive') as an allusion to Charles V's abdication and retirement to a monastery, as early 1557 (cf. above, LXXIV), but Saulnier (*Divers Jeux Rustiques*, intr. xiv-xv) adduces good reasons for thinking that the lines in question refer to the flight of the Spaniards at the battle of Metz, 1553. This means that the poem may have been written, or at least begun, before D.B. left for Italy. In the first 40 lines, D.B. turns away from the struggle between the French king and the Emperor to sing of love, the creator of order out of primal chaos; Spring is here and the poet's love is revived. The poem which follows in the *Jeux* is a 'Chant de l'Amour et de l'Hyver', addressed to Pontus de Tyard; in 222 verses arranged in 6-verse stanzas, it laments 'l'hyver d'une cruauté'; as there corresponds to it one of the *Poemata* (Ad milites gallos), it was probably written in Italy.

41–4 Note the use of diminutives.
57 *l'hyver*: i.e. pendant l'hiver.
60 *Olive*, LXXXIX, 11: . . . & je suis le feu mesme.
65 *sepz*=ceps.

N

69–70 Bacchus, Ceres, Pales: see above XC. Priapus, a fertility god, was the guardian of flocks, bees, and especially of the garden and orchard. Vertumnus, perhaps originally an Etruscan deity, was concerned with the transformation of blossom into fruit. He was beloved by Pomona, Roman goddess of fruit on the tree.

73–88 Henri II will restore the Golden Age, if Europe is not troubled by the Turks.

93–6 Cf. above X, 73–5; and 'En la personne de ladicte Dame' (i.e. Diane de Poitiers), 10–12, Ch., V, 389: Il est tout bon, il est tout beau, / Et le feu de son cler flambeau / N'a point la flamme noire.

94 *notoire*=célèbre.

99 *la valeur*: i.e. la valeur de celle . . .

101ff. Note the return to Petrarchan images, very similar to those used in the *Olive*. There are indeed many close parallels.

105ff. Cf. above, XVII, 5–6; XXVII, 12ff.; and (!) XXXIII, 20.

119 *l'un et l'autre soleil*: the eyes of his beloved.

127–8 *l'or des argentines perlettes*: a somewhat mixed metaphor; perhaps one should interpret *or* as 'gleam'.

139–47 Note the repetition of *doux* and its variants, a Petrarchan device.

159 *accordez*=accordez-vous, votre voix.

164–204 The poem concludes with the description of an altar 'à ma Déesse' which is not unlike Ronsard's description of the emplacement of his tomb in 'De l'election de son sepulcre', 21ff. (ed. Barbier, 9–10).

XCVII. EPITAPHE D'UN CHAT (Ch., V, 103–11)

The eleventh poem in the *Jeux Rustiques* is an 'Epitaphe d'un chien', based on Navagero's *De obitu Hylacis canis pastorici* (Ch., V, 23–4) in five 5-verse stanzas. Immediately preceding the present poem is an 'Epitaphe d'un petit chien' (Ch., V, 97–103). Epitaphs to canine pets go back to Martial, though the real models of such epitaphs are Catullus's laments (II and III) on his mistress's sparrow. French dog-epitaphs were composed by Marot, Ronsard, Baïf, Belleau and Magny, but D.B.'s cat-epitaph appears to be the first of its kind, while particular interest is given to it by *Regrets*, LX, in which the poet, disclaiming any pretentions to writing the lofty subjects treated by Ronsard in his *Hymnes*, says, 'Mais bien d'un petit chat j'ay fait un petit hymne', which he is sending as a present to the 'Seigneur' to whom the sonnet is addressed. As the epitaph is ostensibly sent to Magny (see line 2), the 'Seigneur' is likely to be d'Avanson (cf. above, XLI, intr. note). The 'Marot touch', already discernible here, is still stronger in the following poem (our no. XCVIII).

10 Cf. Villon, *Testament*, 207–8: En escripvant ceste parolle/, A peu que le cuer ne me fent.

40 *musequin*: diminutive of *museau*. *damoiselet*: dainty.

43 *desguaynoit*: unsheathed.

46 *longue à la guenonne*: as long as a monkey's.

52 *sourian*: mouser. Cotgrave gives '*sourien, sourienne*: mousing; loving mice; hunting after mice'.

66 *hayroit*: in spite of the spelling, is clearly disyllabic here. The verb *hair* had many alternative forms, some confusion existing between inchoative and non-inchoative forms, the O.F. future was *harrai*, later re-formed on the infinitive as *haïr-ai*. In the sixteenth century there was, as Brunot puts it

(*Hist. de la Langue*, II, 360), 'une mêlée confuse de formes primitives et de formes analogiques de toutes sortes'.

78 *fretillarde*: frisky.

81 *privé*: familiar. Should be regarded as adverbial here.

88 *virevoltait*: turned and wheeled (usually of a horse, as also perhaps the terms in 72–3).

96 *panne*: plush.

97 Note familiar tone of *trogne*.

110 *tesnieres*=tanières.

122 *muguetoit*: flirted with, made eyes at . . .

136 *par compas*: in moderation.

148–50 Saulnier (*Divers Jeux Rustiques*, 108–9) takes these lines as alluding to 'La truie qui file' and 'L'âne qui joue de la harpe', two of the grotesques used in the embellishment of meuieval churches. In spite of the attractive suggestion, I think that D.B. is contrasting the behaviour of Belaud with that of a hypothetical female companion.

161 *ceste fiere*=la Mort.

171 *leurs annonçant* [sic].

175 *la sœur de Cloton*: Atropos, the eldest of the three Fates, who cuts the thread of life with her shears.

176 Peloton: the dog lamented in the preceding epitaph; it did not belong to D.B., but, according to Magny, to a 'grand seigneur'.

186 *accointable*: familiar, friendly, easy to get on with.

189 *marcoux*: tom-cat.

191–2 *mitouard, matouard*: derivatives of *mitou* and *matou*, both meaning 'cat'. Interpretauions differ, but the general meaning is clear from line 194.

198 *blasonner*: celebrate. The 'blason' was a form of descriptive (and sometimes satirical or erotic) poem much in favour in the sixteenth century, especially after Marot's 'Blason du beau tetin'.

XCVIII. EPITAPHE DE L'ABBÉ BONNET (Ch., V, 111–16)

Various attempts have, of course, been made to identify the abbé Bonnet, and none is conclusive. This lively and amusing satire contains so many of the traditional shafts used against the clergy, lawyers and professional classes generally that it seems likely to be directed against a type rather than against a person.

2–3 'who had a knowledge of handling . . .'

12 'without any sort of justification' (?). Saulnier (*Divers Jeux Rustiques*, 111, n.): 'sans qu'il sût citer les textes de lois dans leur indicatif complet (nom, chapitre, paragraphe)'.

14 *orateurs*: must perhaps be taken in a wide sense as 'writers in prose'. Cf. Saulnier, *loc. cit.*

20 *Caballe*: esoteric doctrine. The allusion is to the Cabbala, a Jewish system of esoteric theology and metaphysics.

21–2 As no one understood what he meant, his doctrine could not be condemned by the ecclesiastical authorities.

23–4 Magic and astrology were still much practised and experimented with by some Renaissance scholars: see D. P. Walker, *Spiritual and Demonic Magic from Ficino to Campanella*. London, 1958.

39 *Academie*: here a common noun, 'school'.

40 *soufler l'alchumie*: to practise alchemy, since the art involved much work with furnaces and alembics. Saulnier *ad loc.*, says it was because

alchemists ~~had to~~ do their own glass-blowing. But René Bretonnayau, *La generation de l'homme et le temple de l'ame*, 1583, cited by Nancy F. Osborne, *The Doctor in the French Literature of the Sixteenth Century*, 1946, 84, says: 'Il n'y aura liqueur, pierre, métal, ou mine / Proffitable aux mortels qu'en souflant ie n'affine / Dressant pour cest effect maint fantasque fourneau / Pour en tirer l'esprit, l'huile, le sel, & l'eau'.

41 *souflé*: blown away, dissipated.

43–4 'Made fake precious stones'(?).

54 *monstiers*: moutiers.

56–7 He cured by means of amulets, containing 'drugs' or magic formulas, worn round the neck, wrists or waist. See Nancy F. Osborne, *op. cit.*, 112–14.

66 *poil*: here=cheveux. Saulnier's suggestion: 'Calembour sur Bonnet' does not square with 82–6.

67 *corsage*: build.

70 *soret*: diminutive of *saur*.

88 Julius III was 68 years old when he died in 1555.

94 *chamarre*: long robe, often decorated with embroidery. Here, however, nearer to the etymological sense, Span. *zamarra*, sheepskin coat, which adds irony to the *peau de loup*.

101 To drink 'utriusque linguae'—i.e. everything.

104 'wanted to lay down the law'.

111 *trafiques*: sharp practices.

112 *prattiques*: tricks of the trade.

113 *famez*: notorious. Note incidental satire on place-seeking courtiers.

117 'To make a witness say what one wants'.

122 'To turn a civil suit into a criminal trial'.

127 'To put in a troublesome point of law'.

129 'To recognize tender or weak spot in a case'.

140 Rhadamante: the infernal judge.

142 'to see if he can . . .'

XCIX. A BERTRAN BERGIER, POETE DITHYRAMBIQUE
(Ch., V, 117–23)

D.B. had already addressed two poems to Berger, one in 1549 in the *Vers Lyriques* (Ch., III, 26) and one in 1552 in the *Inventions* (Ch., IV, 184). Ronsard and Baïf had also addressed poems to him. Berger's verse was considered completely lost and all that seemed reasonably certain was that he was a jolly companion of the Coqueret days who had a gift for extraordinary verse, particularly of the imitative type (69–72 and 75–80, below). The poem has sometimes been taken seriously as a turning-away from the doctrine of art (Cf. *HP*, II, 26; Ronsard's 'Ode à Michel de l'Hospital', 395–408, ed. Barbier, 25), and a further contradiction on D.B.'s part, but the tone of the poem is frankly humorous and entirely suitable for a piece of banter. There is much in Plato's *Ion* that would enable the Pléiade to take a serio-comic view of their rhapsodizing friend. This view is corroborated by the discovery by Professor V. L. Saulnier ('Des vers inconnus de Bertrand Berger et les relations du poète avec Dorat et Du Bellay', *Bibliothèque d'Humanisme et Renaissance*, XIX, 1957, 245–51) of an exchange of humorous poems (with no punches pulled) between Dorat ('à la sollicitation de J.D.B.A.') and Berger. There is even a specimen of 'Hachigigotis', and details of a possible quarrel between D.B. and Berger.

2 *l'eau de Pégase*: see above, XLI, 44.

3 Ascree: Hesiod, who lived at Ascra in Bœotia. His sudden inspiration by the Muses is alluded to in his *Theogony*.

4, 9 Note the allusive use of *bouvier*, *Bergier*. Hesiod was 'grazing his sheep' when the inspiration came.

4–8 Cf. *Deff.*, II, iii, chapter heading: 'Que le naturel n'est suffisant à celuy qui en Poësie veult faire œuvre digne de l'immortalité'. Cf. also above, XLIII, 1–4.

14 *la fonteine Cabaline*: see above, XLI, 44.

15 *le mont deux fois cornu*: Parnassus. These allusions to Parnassus and Hippocrene seem modelled on Persius, *Sat.*, prol. 1–3.

21 Cf. Horace, *Ars Poet.*, 391: sacer interpresque deorum.

22 Chewing the laurel leaf was one of the methods of inducing the divine frenzy.

25–8 Cf. l'abbé Bonnet in XCVIII, above. *plus que dix*: more verses than ten poets would write.

29–32 D.B.'s target is here probably the *Art Poétique* of Sebillet, which had taken the wind out of the sails of the Coqueret group in 1548. See Saulnier, *Divers Jeux Rustiques*, 119. D.B., in his 1552 ode to Bergier, had alluded to the extraordinary freedom of his rhythms.

33–6 Cf. Ronsard, *Ode à Michel de l'Hospital*, strophe 17; ed. Barbier, 29. Musée: Musæus, a semi-mythical early Greek poet.

41 *geinant*—gênant, 'hindering', 'spoiling'.

45–6 In his 'Ode au Seigneur des Essars' on his translation of the *Amadis de Gaule* (Ch., IV, 173–4), D.B. had said: 'Quel esprit tant sourcilleux / Contemplant la Thebaïde, / Ou le discours merveilleux / De l'immortelle Eneïde, / Se plaint que de ces autheurs / Les poëmes sont menteurs?' The present passage is all the more clearly bantering. For 47–8, see above, XLIII, 5–8.

50 Bergier belongs to the generation of Orpheus and the other poets of 33–4 above.

65 *Premier*=d'abord, to which corresponds *Apres* in 73. It was partly on the strength of this verse, though mainly on the testimony of Claude Binet, that Bergier was credited with the famous 'Dithyrambes recitez à la pompe du bouc de Jodele' which appeared in 1553 in Ronsard's *Folastries*. It has now been shown that they do belong to Ronsard: Laumonier, *Ronsard poète lyrique*, 99–103, 735–42; *HP*, II, 53.

66 i.e. they would not scan.

69 *sornettes*: nonsense verses.

70 *sonnettes*: probably the bells attached to hawks and falcons.

72 *appeaux*: bird-calls, bird-pipes.

74 *bedonniques*: Saulnier (*Divers Jeux Rustiques*, 122) interprets as 'martial', which fits with Baïf's testimony (see below). I am inclined to think that there is a 'double-entendre', the secondary meaning being 'fat-bellied, paunchy' (on *bedon*, paunch), by contrast with the 'petit vers' of 75.

76 *hachigigotis*: the 'Hachegigottis' of Bergier discovered by Professor Saulnier begins: 'Soudain, Cuysinier, haste ton rost rost, / Bien tost tost et bien tost et bien bien tost! / De tes trenchants cousteaux sonne tout d'un beau trac, / Tra, tra, tra, tra, tali, talo, tali, ta, tac . . .'

Another of the newly found poems is entitled 'Vol des Oyseaux, selon le Sommelier'. Saulnier's interpretation of 'bedonniques' as 'martial' is supported by its second stanza, but it is dated 1560 and is not for certain by Bergier. The whole content of our 69–76 may be compared with Baïf, *Passetems*, III, ed. Marty-Laveaux, IV, 348: 'Bien que par fois tu bedonnes, /

Et bien que par fois tu tonnes / De Mars les troubles divers, / Du tout la paix tu ne laisses, / Mais quelque fois tu t'abaisses / Jusqu'à l'orner de tes vers. // Est-il son que tu n'exprimes / Dans le naïf de tes rimes, / Soit le tintin des oyseaux, / Soit des cousteaux l'armonie / Que le cuisinier manie, / Soit les horlogins apeaux, / / Soit le triquetrac encores? / Triquetracant un vers ores, / Ores le carillonant, / L'achigigotant de sorte, / Le tintant, ou de main forte / Au bedon le bedonant.'

77–8 The allusion is to *Aen.*, VIII, 596: 'quadrupedante putrem sonitu quatit ungula campum'.

79–80 Alluding to *Iliad*, I, 34.

85–8 Minerva (Pallas Athene) sprang fully armed from the head of her father Jupiter (Zeus).

89–92 This might be a sly allusion to Le Roy, the pedant satirized in the *Regrets*; cf. above, LXIII.

93–100 This passage, though verbal resemblances are few, seems reminiscent of Thraso, the boasting soldier's bragging of his witticisms in the king's presence in Terence, *Eunuchus*, III, i.

94 *suffisance*: accomplishments.

C. LA VIEILLE COURTISANE (Ch., V, 148–80)

The wiles of the courtesan and the decay of her beauty seem to have interested D.B. as a satirical subject from his early days as a poet. In 1549, along with the *Olive*, he published his *Anterotique de la vieille et de la jeune amye* (Ch., I, 127–36), a satirical poem, based mainly on classical sources, of 214 octosyllabic verses; of similar inspiration is the 'Contre une vieille' in the *Jeux Rustiques* (Ch., V, 128–33), while in the same collection are French versions by D.B. of two Latin poems by Pierre Gillebert or Gilbert, 'La Courtisane Repentie' (126 decasyllables) and 'La Contre-Repentie' (146 decasyllables) (Ch., V, 136–7), in which the courtesan repents of her sins and enters a convent, but soon repents of her repentance and returns to her former ways. Allusions to these two poems are to be found at the beginning of 'La Vieille Courtisane' and occasionally throughout. The sources of this original poem by D.B. are partly the *Ragionamenti* of Aretino, partly D.B.'s experience and observation in Rome—the Old Courtesan is a Roman one—, but there are also reminiscences of Terence's *meretrices* (especially Bacchis in the *Heautontimorumenos*, 381ff., and Philotis and Syra in the *Hecyra*, 58ff.). Shortly after the appearance of the *Jeux Rustiques*, Nicolas Edoard, a printer of Lyons, published a booklet *La Courtisane Romaine par I.D.B.A. La Pornegraphie Terentiane et la Complainte de la Belle Heaumiere*, 1558. See Ch., V, v–viii; and my *Térence en France au seizieme siecle*, Paris, 1926, 488–99. The Terentian texts used in the pamphlet are *Heaut.*, 443–64, *Hecyra*, 63–75, *Heaut.*, 223–9 and *Eunuchus*, 929–40, the last lines of which seem to have been the source of part of a sonnet in the *Regrets*: see above, LXX, tercets. The booklet with the sensational title is indeed a highly moral one!

The earlier part of the 'Vieille Courtisane' gives her life-story, the social accomplishments she had to acquire, her adventures and misadventures, her acquisition and loss of wealth, her skills and arts, her repentance and counter-repentance, her return to her profession, her love and jealousy and her abandonment by her lovers.

467 *honneur*: glory of her hair.

470 Note adjectival use of *peincte*. Read: 'ceste bouche blesme a la mort mesme peincte dessus ses bords'.

488 *contrefaire des eaux:* concoct toilet w

490 *chambelles*: small round cakes, cracknels.

515-16 'ashamed ever to have wished me well, since they now see in me nothing that was mine'.

529-34 Leo X, pope 1513-21; Clement VII (also a Medici), pope 1523-34; Paul III, pope 1534-49; Julius III, pope 1550-5; Paul IV, pope 1555-9. The last of these attempted to suppress prostitution in Rome, hence the complaint of line 536.

541-8 Such prohibitions only engender worse things.

551-2 Cf. *Sorge* X, 9-10: N'estoit-ce pas assez que le discord mutin / M'eut fait de tout le monde un publique butin? (Ch., II, 36).

CI. METAMORPHOSE D'UNE ROSE (Ch., V, 182-4)

This pleasing little poem shows a treatment of the rose theme unlike the usual Pléiade handling, though the motif of evanescent beauty is not absent. A young widow, transformed into a rose, describes her state in delicate allegory in which classical (e.g. Ovid) and medieval (*Roman de la Rose*) elements are mingled. The Pléiade poets were far from despising the *Roman de la Rose*. See Chamard, *Deffence*, Paris, 1904, notes to the beginning of II, ii, 174ff.; and also his *Origines de la Poésie française de la Renaissance*, Paris, 1920, 86-108.

2 *querelle*: complaint.

10 Cf. Ovid, *Met.*, I, 550: in ramos brachia crescunt.

22 A story that Venus, hastening to the wounded Adonis, pricked her foot on a rose, her blood staining its whiteness red, is told by Aphthonius of Antioch, a Greek rhetorician of the fourth century A.D. in his *Progymnasmata*, an introduction to rhetoric. This work, sometimes under the title of *Praeexercitamenta*, was used in the schools in the sixteenth century. The story is also gracefully told by Marot, *Estrenes*, ii, 'De la Rose'.

29-30 The theme of the rose's evanescence, much beloved of the Pléiade poets; based on Ausonius, *Idyllia*, xiv: Quam longa una dies, aetas tam longa rosarum.

40-2 Allusions to Hercules, grandson of Alcaeus, and his quest of the golden apples of the Hesperides, which were guarded by a dragon.

CII. HYMNE DE LA SURDITÉ (Ch., V, 185-96)

In 1555 Ronsard had published the first book of his *Hymnes*; a second book followed in 1556. The *Hymnes* were long, heroic, philosophical, epic or mythological poems, mostly in alexandrines rhyming in couplets, on Henri II, Justice, Demons, Heaven, etc., etc. In his *Regrets* D.B. makes several references to them, usually disclaiming for his own work such lofty themes (e.g. above, XLII), but here he offers to Ronsard a Hymn of his own on a subject of personal interest to them both. Realizing, no doubt, that he could not approach Ronsard in majestic and grandiloquent verse, he preferred a poem of lighter vein in which serious and less serious matter—and no little satire—could be mingled. Even the salutation to Deafness (225-end), with its mythico-allegorical group in the manner of Ronsard's 'Hymne de la Philosophie' and others, ends with a quip.

3 *qui* = ce qui.

4 Ovid, *Met.*, V, 294ff. recounts how the nine daughters of Pierus, king of Emathia in Macedonia, entered into a contest with the Muses, by whom

they were vanquished. Apollo turned them into magpies and their name, Pierides, was taken by the Muses.

5 Arachne was turned into a spider for having challenged Minerva to a contest in weaving; Marsyas, a satyr, challenged Apollo to a musical contest and was flayed alive.

6 Note the bite in this last of the series of unwarranted comparisons.

9 *pour suyvre*; because I have followed . . .

14 *domestique*: literally, belonging to the household, i.e. intimate, day-by-day companion of . . .

16 *authorisent*: raise in dignity, give authority to, approve, estimate.

22 The allusion here to Horace, *Ars Poet.*, 343: omne tulit punctum qui miscuit utile dulci, is a high tribute to Ronsard.

26 On Ronsard's deafness, *HP*, I, 74–5.

31 *couchent* = accouchent; bring forth abundantly, ceaselessly.

32 Allusions to Erasmus's *Encomium Moriae* and Berni's *Capitolo della Peste*.

37–58 Chamard, *ad loc.*, quotes some passages from Ambroise Paré's writings on anatomy and surgery discussing the mechanism of hearing and the causes of deafness. Is D.B. here attempting to be, for the moment, the French Lucretius? The passage 45–57, after describing the auditory mechanism, seems to ascribe deafness to catarrh (une humeur épesse). Saulnier, *Divers Jeux Rustiques*, intr. xxi, n. 3, calls this development 'tomber dans le Sully-Prudhomme'.

61 *secte*: of the Stoics.

66 *du sens qu'on dit acquis*: i.e. knowledge or reason acquired as distinct from 'natural' or inborn reason, as in 76.

68 *isnelles*: swift.

71–6 May be regarded as parenthetical.

80 Cf. Ovid, *Met.*, I, 84–6.

84 *or que* = bien que.

111–35 A series of objections and replies.

138 Cf. Vergil, *Georg.*, II, 490: rerum cognoscere causas; and Ronsard, *Hymne de la Philosophie*, 79–80: Elle premiere a trouvé l'ouverture / Par long travail des secrets de Nature. D.B. probably had his friend's verses in mind.

139 Cf. above, XXX, 201 and note.

141 *departir*: used here in much the same sense as *divertir* in the next line.

143ff. This agrees with what Claude Binet says in his *Vie de Ronsard* (1586).

146 The commonplace of the difficult road to virtue or wisdom goes back to Hesiod (*Works and Days*, 289–92). It had been used, for instance, by Jean Lemaire de Belges in the *Concorde des deux langages* (printed 1513) and was developed also by Ronsard in the *Hymne de la Philosophie*, 191ff. Saulnier (*op. cit.*, 183 n.) is mistaken in saying that D.B. has reproduced this verse from Ronsard's *Hymne*; it is not in that poem. D.B. himself, however, had used it before, in *Regrets*, III, 14, verbatim; cf. also above, XCIX, 63–4.

147 *tissu*: past participle of *tistre* (Lat. *texere*), to weave.

148 See above, I, 5–6. An allusion to Ronsard's *Amours*.

151 Ronsard with his *Odes* had already become the French Pindar and the French Horace; now, when the *Franciade* appears, he will be the French Homer.

156 *perruque*: often used in the sixteenth and seventeenth centuries for the foliage of trees.

161 *ce doulx aiguillon*: i.e. of the Muses. Cf. above, XLI, 58 and 60.

183 i.e. in which, being a goddess, she resembles the gods themselves . . .

191ff. Cf. the *Regrets* on the poet's duties in Rome, e.g. above, XLIX, LVIII, LXVIII.

199 Castel: the Castel Sant' Angelo, originally built by Hadrian as a tomb for himself, afterwards converted into a fortress. Cf. G.D., 41–2.

200 Cf. above, LXVII, 3; LXXV, esp. 9–11.

201 Paul IV, 79 years old at his election in 1555, who tried to effect a number of reforms in Rome and in papal administration and prepared for war against Spain.

205 *ses nepveus*: the Caraffas to whose promotion to high positions D.B. alludes several times in the *Regrets*. Cf. e.g. Ch., V, 143, n. 4, and G.D., 121ff.

212–16 Cf. above, LXXV.

218 As part of the military preparations, to ensure 'fields of fire' for the artillery.

225 Note the change of tone from direct satire to allegory.

247-end. D.B. cannot resist a last quip.

CIII. LE POETE COURTISAN (Ch., VI, 129–37)

From the very beginning of his literary career, D.B. had lost no love on the 'poète courtisan'. He had attacked him in the Deffence (e.g. II, iii, 106–7; II, xi, 173–4), in his second preface (1550) to *L'Olive*, and had satirized him in a number of sonnets, written after his return from Rome, in the *Regrets* (e.g. above, LXXXIV). In 1559 a pamphlet appeared, ostensibly in Poitiers, with the following title: *La nouvelle maniere de faire son profit des lettres: traduitte de Latin en François par I. Quintil du Tronssay en Poictou. Ensemble le Poëte courtisan.* The *Nouvelle Maniere* was the translation of a Latin epistle by Adrien Turnèbe, *De noua captandae utilitatis e literis ratione*, attacking the court writer, ironically and without actually naming him, in the person of Pierre de Paschal (see above, XXVI, 244). There is some mystery about this publication (Ch., VI, xiiiff., 129, n.1; *HP*, II, 335ff.), but the attribution to D.B. is beyond doubt. It seems clear that the *Poete Courtisan* was written not, as some have suggested, at the same time as the *Deffence*, but in 1559, when he was back in Paris and disgusted at the spectacle of the court poets still enjoying favours. A comparison with the *Deffence* shows that the 1549 precepts have been ironically reversed, giving the 'Art poétique' of the hanger-on of the court, as the *Deffence* had given that of the great poet that the Coqueret group had wished to produce.

1, 2 Aristotle's *Poetics* had been first printed by Aldus in Venice in 1508; three French editions appeared in Paris in 1538, 1541 and 1555, but a study of dramatic theory in the sixteenth century shows that they had little real influence. See my *Handbook of French Renaissance Dramatic Theory*, and my article 'Sixteenth-Century French Tragedy and Catharsis' in *Essays presented to C. M. Girdlestone*, Durham, 1960, 169–80.

3–4 The subject-matter of tragedy, as conceived by many theoricians in the sixteenth century. See the works referred to in the previous note.

6 Mëonien: Homer, native of Maeonia. Aristotle's *Poetics* treated of tragedy, comedy and epic, but the section on comedy is lost.

7–8 Allusion to the *Ars Poetica* or *Epistola ad Pisones* of Horace.

9 Marco-Girolamo Vida (c. 1490–1566) wrote a *De Arte poetica* (1527) which was highly thought of at the time.

10 The relationship between the court and poetry was a vexed one for a long time. Marot had called the court 'ma maistresse d'escolle' and not without reason. The attitude of the Pléiade poets was somewhat equivocal in that, while they attacked the place-seeking poetasters, they themselves were not averse from seeking court patronage. D.B.'s verse here is, of course, ironical.

19 *commun*: i.e. common to all, universal.

21–4 Contrast *Deff.*, II, iv, 107–8; see also above, XLIV.

25–7 In 1560 Ronsard will say much the same thing in his *Elegie à Pierre l'Escot*, 11–16. Ed. Barbier, p. 81.

29–30 Cf. above, XLIII.

34 Cf. above, LXXXV.

37–9 For poetry without the divine inspiration symbolized by these lines, see above, XCIX.

41–2 Allusion to the Pindaric and Horatian odes of Ronsard.

44ff. Cf. *Deff.*, II, iii, 103ff.

45–6 Horace, *Ars Poet.*, 78 and 408–9. Cf. *Deff.*, II, iii.

63–8 Occasional and complimentary verse was practised by D.B. himself and by Ronsard, as indeed by most poets of the time.

69 The *devise* or motto, used by nobles in tournaments and other court activities, was supposed to symbolize in some way the character, personality or pursuits of its possessor.

74 Apart from D.B.'s numerous allusions to the king, he wrote a whole series of odes to Diane de Poitiers (Ch., V, 367ff.).

76 *amuser*: distract.

77–80 D.B., in the *Deff.*, II, ix, 165–6, had seriously warned the poet against harshnesses. He seems here to be attacking the smooth running verse that was all sound and no sense. In 80, note the superlatives, without definite article.

82 *à l'aborder*: at first encounter with him.

98 Cf. above, LXXXV, 9–12.

116–18 D.B. had made this excuse in the dedicatory epistle at the head of the *Recueil de Poësie*, 1549; the command came from the king's sister. It was a frequent excuse at this time.

121–38 Usually considered to be a dig at Saint-Gelais (died 1558) who composed much, but published nothing in his lifetime.

129–30 Allusion to Horace's famous line, *Ars Poet.*, 139: 'Parturiunt montes, nascetur ridiculus mus'.

139 Cf. Vergil, *Aen.*, VI, 816: '. . . nimium gaudens popularibus auris'. In his translation of *Aen.*, VI (Ch., VI, 390, line 1364), D.B. paraphrases rather than translates the line and avoids this image.

141 Aristarque: see above, LXIII, 4. The allusion here, however, is to Horace, *Ars Poet.*, 450.

WORKS PUBLISHED POSTHUMOUSLY

CIV. A JACQUES GREVIN (Ch., II, 216)

Jacques Grévin (1538–70), later to be better known as a dramatic poet, published his *Olimpe*, a series of love sonnets, in 1560; D.B.'s sonnet appeared among the complimentary pieces at its head. It is pathetic to think that D.B. was an old man at 37.

1–3 Athletic pursuits: the running race (on dusty track); the wrestling match (in which the contestants oiled their bodies); the hurling of the discus; boxing (in which the fighters wore on their fists a sort of knuckleduster of leather thongs studded or weighted with metal).

CV (Ch., II, 242–3)

This sonnet, no. XIV of *Les Amours de I. Du Bellay*, first printed in Aubert's *Divers Poémes* of 1568, seems, like most of the group, to have been written in 1559.

4 Classical commonplace: cf. Terence, *Eunuchus*, 57–8.

CVI. DES FEUZ DE JOIE FAICTS A ROME, L'AN 1554
(Ch., II, 264–5)

This sonnet appeared for the first time in Aubert's collection of 1568. It refers to the celebrations in Rome of the betrothal of Mary Tudor and Philip of Spain (January 1554); it was no doubt written at the time and held back from publication perhaps as of unsuitable tone, or perhaps as of unsuitable form for the *Regrets* (it is in decasyllables).

1–4 Cf. above, LXXV, 12–14.
10 'throughout her Roman lands'.

CVII. A MONSIEUR TYRAQUEAU, CONS. EN PARLEMENT
(Ch., II, 278)

André Tiraqueau (*c.* 1480–1558), a celebrated lawyer, had earlier been the friend of Rabelais who, profiting by their discussions and especially by Tiraqueau's works on the legal aspects of women in marriage, was much in his debt, particularly for the *Tiers Livre*. Tiraqueau was famous not only for his learning and the number of his erudite publications, but also for his numerous offspring (Ch., *ad loc.*). The sonnet must have been written before 1558, when Tiraqueau died, but did not appear before Aubert's 1568 collection. It is written in 'vers rapportés' (see above, II, and XC, n.) a form for which D.B. seems to have had a (sneaking?) liking.

1 Symbolizing learning, children and life.

CVIII. A I.ANT. DE BAIF (Ch., II, 286–7)

This amusing sonnet was printed for the first time in Aubert's collection at the end of the *Jeux Rustiques*. Baïf was perhaps the most erudite of the Pléiade group, an indefatigable worker, an omnivorous reader, but relatively uninspired. It is no doubt because of his learning rather than because of any notable excess of Latin forms in his work that D.B. mockingly addressed to him this sonnet with its synthetic comparatives and superlatives. Baïf replied in his *Passetems* (publ. 1573).

9 *nul mieux de toy*: cf. 12. A survival of normal medieval syntactical usage.

CIX. A M. LE SÇEVE LYONNOIS (Ch., II, 288)

First printed in the Aubert collection of 1568, this sonnet must have been written when D.B. was in Lyons on his way to Rome in May 1553. For Maurice Scève, see V. L. Saulnier, *Maurice Scève*, 2 vols., 1948–9. His best known work was the collection of *dizains*, *Délie, object de plus haulte vertu*, Lyons, 1544.

4 Scève's work was not without obscurity, written in a very condensed and allusive style.

7–8 Allusion to Petrarch and the laurel.

CX. SUR LA MORT DE LA JEUNESSE FRANÇOISE
(Ch., II, 296–7)

First printed 1568. Perhaps composed in 1553 at Rome, when D.B. heard of the disastrous French campaigns in the Netherlands. *HP*, II, 285. The allusion in line 14 is to Henri II.

4 Marathonne: scene of the great battle between the Athenians and the Persians in 490 B.C.

CXI. AMPLE DISCOURS AU ROY SUR LE FAICT DES QUATRE ESTATS DU ROYAUME DE FRANCE (Ch., VI, 193–237)

In 1559 Michel de l'Hospital wrote a Latin poem of 363 verses for the coronation of François II; though it was not printed till 1560, D.B. translated it into 426 alexandrines under the title: *Discours sur le sacre du treschrestien Roy Francoys II*, addressed it to the Cardinal de Lorraine, as L'Hospital had done his, and it was printed by Morel in 1560, after D.B.'s death (Ch., VI, 169–187). Inspired no doubt by this poem, D.B. began the composition of an original work, the present *Discours* in 796 alexandrines, which was printed in pamphlet form by Morel in 1567. It presents complex textual difficulties detailed by Chamard (VI, xixff.); the text given here is that of the first 180 lines as established by Chamard on the basis of the first printed edition and of two MSS., one in the library of Valence, the other in the Bibliothèque Nationale, Paris. This ambitious poem, a forerunner of Ronsard's *Discours*, deals with the duties of the new king to the four estates of the realm and the duties of those estates in return. The nobility, the judges and the Church all receive their instructions; the king is advised to see that they carry them out, so that the kingdom shall have harmony and peace. Nor does the poet forget to beg the king to cultivate and encourage the arts as his forebears had done. The tone is often bold and, though the poem seems not to have received its final polish, it is warm and noble in sentiment and in diction.

1–10 The allusion is to Aristotle's *Politics* (III, vii; IV, ii); the three types of government are, of course, democracy, aristocracy and monarchy.

12–13 Thus democracy may degenerate into demagogy, aristocracy into oligarchy and monarchy into despotism.

17–19 Both democracy and aristocracy are comprehended within monarchy, which is thus the most perfect form of government.

24 *nombres*: some of the texts have *membres*. *Nombres* and *accords* would relate to the ancient theories of harmony; see above, XXX, 72–8.

41–2 The Church.

44 *l'accordant discord*: an antithesis used elsewhere by D.B., e.g. *Complainte du Desesperé*, 331–3 (Ch., IV, 103): 'Mettez moy ou lon accorde / La contr'-accordante chorde / Par les discordans accords . . .'

45 The lute had originally four strings.

50 *depart*: distributes, shares out.

57 'And so that, because one of the limbs is too big . . .'

67–8 At the very beginning of the *Deffence*, I, i, D.B. makes the same distinction between 'mere' and 'marastre'. This commonplace, often found in contemporary poetry, comes from Pliny, *Hist. Nat.*, VII, i, 1. See *Deff.*, 12, n. 1, for text and other instances of D.B.'s use of it.

76 *sourgeon*: spring, fountain.

79 *usure*: here in sense of 'usc', 'usufruct'.

89 *hurt*=heurt.

95 *terroy*=terroir, as in the Lyons editions of 1567 and 1568.

113 Note singular verb 'regne' with compound subject.

114 Pandore: see above, XXVI, 111–12.

123 *voyriez*: see above, XXXIII, 47.

129 *Tout le chemin en fume*: D.B. uses the same phrase in his translation of Vergil, *Aen.*, IV, 407: '. . . opere omnis semita feruet'. (Ch., VI, 284). The whole of D.B.'s development on the ants is from *Aen.*, IV, 402–7.

141–2 *Iliad*, II, 243.

144 Suetonius, *Tiberius*, xxxii: 'boni pastoris esse tondere pecus, non deglubere'. D.B. may have seen it in Erasmus, *Apophthegmata*.

148 *pieteux*=piteux (Lat. *pietosus*) in the etymological sense and not in modern sense of 'paltry, pitiable'.

149 *lay*=legs: bequest, legacy.

157 *caut*: here in bad sense, 'crafty', 'cunning'.

159 *daces*: a form of tax.

160 *fermier*: tax-farmer.

161 *creuë*: rise in taxation.

164 *estappe*: tax levied on warehouse merchandise, especially wines. *garnison*: here compulsory billeting or compulsory provisioning of troops.

168 Chamard, VI. 202, n. 7, following a note in some MSS., refers this to the export of gold to Rome in the form of various ecclesiastical dues; there was much resistance to this in France; cf. Rabelais, *Quart Livre*, LIII: 'Comment, par la vertus des Decretales, est l'or subtilement tiré de France en Rome'. The line at its face value, however, would appear to refer rather to the debasement of the coinage.

173 *artifice*: cunning.

177 *paroistre*: in the sense of 'show off'. Half a century later Agrippa d'Aubigné, in his *Aventures du baron de Fæneste* (1617–30) has a personage Enay (Greek εἶναι, to be) who attempts to convince Fæneste (Greek φαίνω, to show) that 'la France n'est malade depuis longtemps, aux affaires privées et publiques, que de la maladie de paroistre'.

NOTES TO THE APPENDICES

A

D.B., in spite of what he had said in the *Deffence* (I, v; 32–42) about translators and translation, took to translation himself even before his stay in Rome. Apart from the close adaptations of Italian models in the *Olive* or of Naugerius (Navagero) in the *Jeux Rustiques* later, he translated in the narrower sense. In 1552 appeared his translations of Vergil, *Aeneid* IV, of Ovid's *Heroïdes* VII ('Complainte de Didon à Enée'), of an epigram of Ausonius ('Sur la statue de Didon'); 1553 an extract from *Aeneid* V (779–871) under the title 'La Mort de Palinure'; and in 1560, after his death, appeared a version of *Aeneid* VI, an extract of which is given and which was perhaps done before the Roman sojourn. In 1558 Loys le Roy, or Regius, published a commentary on Plato's *Symposium* containing many quotations from Greek and Latin authors. To these quotations D.B. supplied French translations.

In a dedicatory epistle prefixed to the translation of the Fourth book of the *Aeneid*, D.B. refers to the troubles that had assailed him since 1550, speaks of the consolation he has found in verse, and of the pleasure that his writings seem to have given to others; but his enthusiasm (i.e. his power of invention) has lost its first ardour and he is retracing the steps of the Ancients. He proceeds: 'Quand à la translation il ne fault point que je me prepare d'excuses en l'endroict de ceux qui entendent & la peine & les loix de traduire: & combien il seroit mal aysé d'exprimer tant seulement l'ombre de son aucteur, principalement en ung œuvre poëtique, qui vouldroit par tout rendre periode pour periode, epithete pour epithete, nom propre pour nom propre, & finablement dire ny plus ny moins, & non autrement, que celuy qui a escrit de son propre style, non forcé de demeurer entre les bornes de l'invention d'autruy. Il me semble, veu la contraincte de la ryme, & la difference de la proprieté & structure d'une langue à l'autre, que le translateur n'a point malfaict son devoir, qui sans corrompre le sens de son aucteur, ce qu'il n'a peu rendre d'assez bonne grace en ung endroict s'efforce de le recompenser en l'autre. Si j'ay essayé de faire le semblable, je m'en rapporte aux benins lecteurs . . . ' (Ch., VI, 249–50).

1183 *Pendant* = cependant.
1212 *se boute* = se met.

B

The whole object of the *Deffence* had been to encourage Frenchmen to write in French and in the *Recueil de Poesie* of 1549 D.B. had addressed to Madame Marguerite the poem 'D'escrire en sa langue' (see above, XII). In Rome, however, D.B. changed his mind and, seeking some justification in the example of a poet of antiquity—Ovid exiled among the Getae— wrote Latin verse. His Latin poems, the *Poemata*, published in 1558, consisted of elegies, epigrams, *Amores* and *Tumuli* (epitaphs), the *Amores* being in the main those of Faustina (*HP*, II, 259–63). The posthumous *Xenia* (1569) were rather heavy-handed 'etymological' explanations of the names of illustrious contemporaries (*HP*, II, 344).

The texts printed here are the *Romae Descriptio* (*HP*, II, 38–40) and the *Patriae Desiderium*, from the *Poésies françaises et latines de Joachim du Bellay*, ed. E. Courbet, Paris, Garnier, 1918, Vol. I., 432–6 and 445–7 respectively. They are chosen as containing matter and themes treated in the poet's French works, especially the *Antiquitez* and the *Regrets*, and as a sample of D.B.'s skill in Latin verse composition.